Günter Heintz

FRANZ KAFKA
Sprachreflexion als dichterische Einbildungskraft

Königshausen + Neumann
1983

CIP-Kurztitelaufnahme der Deutschen Bibliothek

Heintz, Günter:
Franz Kafka : Sprachreflexion als dichter.
Einbildungskraft / Günter Heintz. — Würzburg :
Königshausen und Neumann, 1983.
ISBN 3-88479-107-9

© Verlag Dr. Johannes Königshausen + Dr. Thomas Neumann, Würzburg 1983
Satz: Fotosatz Königshausen + Neumann
Druck und Bindung: difo-druck, Bamberg — Alle Rechte vorbehalten
Auch die fotomechanische Vervielfältigung des Werkes oder von Teilen daraus
(Fotokopie, Mikrokopie) bedarf der vorherigen Zustimmung des Verlags
Printed in Germany
ISBN 3-88479-107-9

Für
PETER HARTMANN
zum 16. 4. 1983

.

Inhalt

Einleitung

Motiviert ist diese Studie von der Überzeugung, es gebe Gründe für die Annahme, Kafkas Werk sei in einem höheren Maße, als bislang angesprochen, immanente Sprachreflexion sowie Sprachkritik und eine verstärkte Berücksichtigung dessen könne dazu beitragen, des Dichters poetisches Prinzip zu klären und so Anhaltspunkte für weitere Deutungen zu liefern. „Die meisten Fehlurteile über Kafka resultieren aus der Zumessung werkheterogener Methoden ans Werk."[1] Es soll nicht behauptet werden, die Sprache sei Kafkas eigentliches Thema. Zwar begegnet der Fall, daß Sprache das wenn auch höchlichst verhüllte Thema einer Erzählung bildet, aber er bleibt vereinzelt. Vermutet wird vielmehr, daß sprachliche Daten den Erklärungsgrund Kafkascher Werke in dem Sinne bilden, daß sie auf den Prozeß der Textentfaltung als bedingende und steuernde Kräfte wirken. Dies bedenkend, wird der Kritiker nicht so leicht in den von Hjelmslev angedeuteten Fehler verfallen, „übereifrig dem eigentlichen Ziel der Erkenntnis entgegenzuhasten und das Mittel der Erkenntnis zu übersehen, die Sprache selbst."[2] Er wird vielmehr das eigengesetzliche und besondere Medium und dessen Dynamik bei Exegese und Interpretation in Ansatz bringen.

Daß das Problem seiner Dichtung das seiner Sprache sei, hat Kafka nicht nur einmal deutlich gemacht. Die entsprechenden Äußerungen werden häufig genug behandelt. Zahlreich auch sind die textinternen Hinweise darauf, daß das Problem dieses Dichtens auf dem sprachlichen Plan situiert ist. Man hat die für Kafka charakteristische Selbstkorrektur des Sprechens hervorgehoben, diesen prinzipiell endlosen Vorgang, daß eine Setzung erfolgt und relativiert und die Relativierung erneut in Frage gezogen wird (Walser)[3]. Beachtung verdienen desweiteren die nicht seltenen Fälle, in denen ein Textgebilde auf sich als ein „on dit" zeigt.[4] Daß Aussagen grundsätzlich als „Sagen" zu begreifen, daß Tatsachen als „gesagte Tatsachen" einzuschätzen sind, hat Kafka einmal zu verstehen gegeben („Prometheus"): Nicht Wahrheit können Texte bieten, sondern lediglich redeweise Variationen über eine unerfindliche Wahrheit.

---

1. Dieter Hasselblatt, Zauber und Logik. Eine Kafka-Studie. Köln 1964, S. 28.
2. Louis Hjelmslev, Prolegomena zu einer Sprachtheorie. München 1974 (= Linguistische Reihe. 9), S. 8.
3. Martin Walser, Beschreibung einer Form. München 1961 (= Literatur als Kunst), S. 86.
4. Exemplarisch werden genannt: Eine kaiserliche Botschaft (E 138), Eine Kreuzung (E 302), Das Schweigen der Sirenen (E 304).

Dies und die immerwährende Blicklenkung auf die Sprache als autonome Instanz legt es nahe, Kafkas Sprachdenken nachzufragen.

Daß sich Kafka während seiner gesamten dichterischen Tätigkeit mit Fragen des Mediums auseinandergesetzt hat, ist Allgemeingut der Kafka-Kritik, die, dazu durch die zahlreichen Klagen des vorgeblich oder tatsächlich sprachleidenden Dichters veranlaßt, dessen Ringen mit dem Medium, das sich seinen Absichten entgegenstellt, hervorhebt. „Kein Schriftsteller hat jemals eine aufrichtigere, eine beredtere Aussage über den Widerstand der Sprache gegen die Wahrheit, über die Unmöglichkeit adäquaten gegenseitigen Verstehens zwischen den Menschen gemacht."[5] Aus zahlreichen Bemerkungen ist Kafkas Neigung bekannt, gegen sich zu argumentieren und sich besonderer Schwächen zu zeihen. Seine Bemerkungen über sich als Sprachbraucher sind, so besehen, *auch* zu bewerten als emotive Bekundungen und nicht bloß als gegenstandbezogene Feststellungen. Seine Klagen stimmen zumal denjenigen skeptisch, der, mit der Geschichte des poetischen Nachdenkens über die Sprache bekannt, hier den *Topos* erkennt, der darin besteht, über den einen und aus Gründen näherliegenden Aspekt einer umfassenden Dialektik zu reden, welche erst das *ganze* Sprachverständnis des Poeten ausmacht, der, nach einem Wort Paul Valérys, seine Aufgabe findet, wo gewöhnliche Weisen der Verbalisierung versagen. „[L]'expression de ce qui est inexprimable en fonctions finies des mots": Sie ist die wahrhafte Domäne der Poesie.[6] Daß Kafka, einer persönlichen Eigenart folgend, Versteckspiel treibt, darf nicht zu Äußerungen Anlaß geben, die die spracheigentümliche Dialektik von Kreativität und Restriktion verkennen. Denn solche Äußerungen verkennten zugleich die Eigenart des poetischen Typus. Man mag kritisieren, daß hier Probleme, die personenspezifisch sein sollen, auf eine allgemeine poetologische Ebene gespielt werden. Die exemplarische poetische Existenz Kafka legt dies jedoch nahe.

Den Blick auf die bezeichnete Dialektik jedenfalls darf sich nicht verstellen lassen, wer der theoretischen und praktischen Relevanz der Sprache für Kafka gerecht werden will. „Der Mensch denkt, fühlt und lebt allein in der Sprache [...]. Aber er empfindet und weiss, dass sie ihm nur Mittel ist, dass es ein unsichtbares Gebiet ausser ihr giebt, in dem er nur durch sie einheimisch zu werden trachtet. Die alltäglichste Empfindung und das tiefsinnigste Denken klagen über die Unzulänglichkeit der Sprache, und sehen jenes Gebiet als ein fernes Land an, zu dem nur sie nie ganz führt. Alles höhere Sprechen ist ein Rin-

5. George Steiner, Das Sprachtier. In: Exterritorial. Schriften zur Literatur und Sprachrevolution. Frankfurt/M. 1974, S. 90-149, S. 110.
6. Paul Valéry, Cahiers. 2 vol. Edition établie, présentée et annotée par Judith Robinson. Paris 1973/74 (= Bibliothèque de la Pléiade. 242. 254), 2,1085.

gen mit dem Gedanken, in dem bald mehr die Kraft, bald die Sehnsucht fühlbar wird."[7] Auch sonst ermöglicht es Humboldt eine realistische Einschätzung sprachlicher Wirklichkeit, die Dialektik von Förderung und Restriktion zu erfassen: „An dieser Form [sc. ihres Baues] leitet sie [die Sprache] die Nation, aber umschlingt sie auch beschränkend, mit dieser eröffnet sie ihr die Welt, mischt aber der Farbe der Gegenstände auch die ihrige bei."[8] Diese Formulierungen nehmen sich wie eine Legende zur poetischen Spracherfahrung, nicht zuletzt derjenigen Kafkas, aus: Insofern Sprache diejenige Instanz ist, die dem in seine Welt Eintretenden eine erste Pilotierung ermöglicht und also als Finde-Instrument fungiert, kann sie (von einem sensiblen Benutzer) zugleich als Regulativ, als Vorschrift, als „Gefängnis"[9] (Lersch) empfunden werden. (Handke handelt darüber im „Kaspar", dessen dramatische Struktur von der skizzierten Verfassung der Sprache bestimmt ist.) Gewarnt werden muß jedenfalls davor, aus der *einen* Klasse von (negativen) Äußerungen vorschnelle Schlüsse zu ziehen. Sie förderten Teilwahrheiten. Tatsächlich stehen, wo sich sprachunmittelbare, d.h. in der Regel dichterische Naturen äußern, affirmative Stellungnahmen neben Bekundungen des Zweifels und der Verzweiflung.[10]

Nach Sokel sah Kafka sein Schreiben als „Besitzergreifung der Sprache."[11] Daß die erwünschte Einheit von Gefühl und Sprache entstehe, habe nicht in der Sprache seine Grundvoraussetzung, vielmehr im Gefühl. „Das Innere erobert das Wort, indem es das Wort ‚mit sich erfüllt.' Das Ich steht also der Sprache in herrscherlicher Stellung gegenüber."[12] Die gegenteilige Sehweise trifft den Sachverhalt. Benn spricht von dem „dumpfen schöpferischen Keim" als der prima causa des Dichtens, der darauf angewiesen ist, versprachlicht zu werden, um Gestalt zu gewinnen.[13] Die Wechselseitigkeit des Prozesses ist angedeutet: Eine im Vorhofe des Bewußtseins virulente psychische oder mentale Befindlichkeit wartet darauf, daß ihr Sprache, also „Konzepte" auf dem Wege

7. Wilhelm von Humboldt, Über den Nationalcharakter der Sprachen. In: Wilhelm von Humboldt, Werke in 5 Bden. Bd. 3: Schriften zur Sprachphilosophie. Hrsg. von Andreas Flitner und Klaus Giel. Darmstadt 1963, S. 77.

8. Über die Verschiedenheit des menschlichen Sprachbaues. Flitner/Giel 3, 159.

9. Philipp Lersch, Sprache als Freiheit und Verhängnis. München 1947, S. 15.

10. Vgl. Herder, Über die neuere Deutsche Litteratur. Fragmente. Erste Sammlung. Zweite völlig umgearbeitete Ausgabe (1786). Suphan 2,8 vs. Ideen zur Philosophie der Geschichte der Menschheit. Suphan 13,358. — Dieselbe Spanne des Urteils begegnet bei Meister Eckhart.

11. Walter H. Sokel, Zur Sprachauffassung und Poetik Franz Kafkas. In: Franz Kafka. Themen und Probleme. Hrsg. von Claude David. Göttingen 1980 (= Kleine Vandenhoeck-Reihe 1451), S. 26-47, S. 33.

12. Ebd. S. 29.

ihrer Konkretisierung entgegenkommen; die „mäeutische" Funktion der Sprache ist unabdingbar.

Kafkas Werk ist daraufhin zu betrachten, ob es sich als eine Erinnerung sprachsystematischer und sprachhistorischer Daten begreifen, d.h. als Resultante der mit der Sprache selbst latent gegebenen kreativen Kräfte beschreiben läßt. In diesem Falle bildete Kafka auch unter sprachartistischem Gesichtspunkt das Paradigma des Autors in der Klassischen Moderne.

Das Vorhaben sei im Blick auf Proben der Kafka-Kritik präzisiert, die das Medium und seine mögliche Bedeutung für das Werk behandeln. Den Gegenpol bezeichnet das umfangreiche Sprachkapitel in Bert Nagels Kafka-Buch. „Kafka kannte kein Sprachproblem in dem Sinne, daß die Sprache als solche versagt. Wie er deutlich ausgesprochen hat, ist es immer nur der Mensch, der im Umgang mit der Sprache versagt"[14] — eine Bemerkung, der die Tagebuchnotiz vom 24.10.1911 (T 115f.) entgegengehalten werden kann. Den Unterabschnitt „Verhältnis zur Sprache" leitet Nagel so ein: „Da Dichtung sprachliches Kunstwerk ist, stellt sich hier vor allem die Frage, wie Kafka seine bestürzende Thematik dichterisch realisiert, wie er die traumhaft konzipierte Schreckenswelt immerwährenden leidvollen Scheiterns stilistisch bewältigt. Was für eine Sprache setzt er ein?"[15] Die nomenklatorische Auffassung dieser Dichtersprache ist unmißverständlich. Der Aussagegehalt ist vorgängig, er muß nur noch in Sprache gekleidet werden. Sprachstil gerät zu einer Äußerlichkeit. Dazu stimmt die Hypothese zu Beginn des Kapitels, die bei aller Verschiedenheit gegebene thematische und intentionale Einheit des Werkes finde ihr Pendant in der „Konstanz der stilistischen Gestaltung."[16] Kennzeichnend für Nagels dem Zweck-Mittel-Schema verpflichtetes Sprachverständnis ist die anschließende Bemerkung: „Gewiß präsentiert sich der Stil des Dichters nicht als schlechthin gleichförmig, aber sein Verhältnis zur Sprache als dem Medium der Darstellung, sein stilistisches Wollen sind von zielstrebiger Eindeutigkeit."[17] Nagel fällt hinter die frühere Arbeit von Hillmann zurück, der sich (unter Bezug auf T 460f.) in einem Sinne äußert, der der hier geübten Sehweise weit entgegenkommt: „Offensichtlich denkt Kafka, um es forciert zu formulieren, nicht, bevor er schreibt, sondern indem er schreibt. Erst im Prozeß der Niederschrift wird klar, was, mehr oder weniger dunkel, inten-

---

13. Probleme der Lyrik. In: G.B., Gesammelte Werke in 8 Bden. Hrsg. von Dieter Wellershoff. Wiesbaden 1968, Bd. 4, S. 1070.
14. Bert Nagel, Franz Kafka. Aspekte zur Interpretation und Wertung, Berlin 1974, S. 149f.
15. Ebd. S. 89.
16. Ebd. S. 80.
17. Ebd.

diert wurde. Ein ‚nebelhafter Bewußtseinsinhalt' erfährt erst beim Schreiben ‚Zuspitzung, Festigung und Zusammenhang', so können wir es mit Kafkas eigener Terminologie ausdrücken."[18] Malcolm Pasley bestätigt diese Diagnose aus seiner Kenntnis des handschriftlichen Materials; er spricht von der „allmähliche[n] Verfertigung der Geschichte beim Schreiben."[19]

Die nachfolgenden Untersuchungen bedeuten nicht den Versuch, ein poetisches Phänomen abzuleiten. Das Denken in Vorbildern und Einflüssen ist dahingehend zu relativieren (und hat dementsprechend behutsam zu erfolgen), daß sich Wirkung nur unter der Voraussetzung einer minimalen Konvergenz ereignen kann. Der Nachfolger muß für eine Anregung empfänglich sein; nur wo tendenzielle Gleichgerichtetheit besteht, ist Nachfolge möglich. Damit ist aber zugleich die partielle Berechtigung der Einflußforschung bezeichnet: Vorbilder können die Selbstbewußtwerdung des Nachfolgenden fördern sowie stabilisierend und formgebend wirken, da sie ausdrücken, was dem Suchenden vorschwebt.

Immerhin soll die Chance wahrgenommen werden, diejenigen Kräfte zu erfassen, die dazu beigetragen haben könnten, Kafkas sprachkritisches Denken zu fördern und zu präzisieren. Damit ist die Spannweite der in die Untersuchung einbezogenen Daten begründet. Eine produktionsästhetische Recherche sollte das mögliche Kräftefeld weit abstecken, um der Gefahr vorzubeugen, einen eventuellen Faktor außer Acht zu lassen. Im übrigen stimmen die zu revidierenden Daten weniger einzeln als in ihrem Ensemble nachdenklich.

Nach der Erhebung derjenigen Fakten, die Kafkas Sprachbewußtsein wenn nicht geprägt, so doch mit geformt haben könnten (Teil I), werden (Teil II) des Autors Sprachauffassung und Sprachpraxis (als deren anderer Aspekt) rekonstruiert. Schließlich (Teil III) ist das dichterische Werk (im traditionellen Verstande) Gegenstand der Untersuchung, der mit Valérys Bemerkung „Pour moi, (par exemple!) un ouvrage littéraire se propose comme une spéculation linguistique"[20] die Richtung gewiesen ist.

18. Heinz Hillmann, Dichtungstheorie und Dichtungsgestalt. 2., erweiterte Auflage 1973 (= Bonner Arbeiten zur deutschen Literatur. Bd. 9), S. 153.
19. Der Schreibakt und das Geschriebene. Zur Frage der Entstehung von Kafkas Texten. In: Franz Kafka. Themen und Probleme S. 9-25, S. 14.
Robinson 1,241.

Teil I: Formkräfte Kafkaschen Sprachdenkens

§ 1. Exterritorialität und Multilinguismus

„[I]ch verstehe es gar nicht, wenn ein Jude, der in einer slawischen Gegend Österreichs geboren ist, zur Sprachforschung *nicht* gedrängt wird."[1] Er kann gar nicht anders, so will Mauthner sagen, als unter dem Eindruck mehrerer Sprachwelten die fallacy of verbalism (Russell) zu durchbrechen. Der Multilinguismus des nachmaligen Sprachforschers war gleichsam naturgegeben, denn er fand sich nicht allein dem Deutschen und Tschechischen, sondern auch Resten zumindest des Hebräischen und, auf ihm basierend, dem Mauscheldeutschen der „Trödeljuden" sowie dem Kuchelböhmischen konfrontiert.

Mauthners Feststellung läßt vermuten, eine Bedingung dafür, daß Sprache dem Dichter als maßstabsetzende und verhaltensbedingende Instanz bewußt werden konnte, sei sein biographisch bedingter Multilinguismus gewesen. Mit dem Begriff ist nicht so sehr diejenige Eigenschaft gemeint, die für den Autor der Klassischen Moderne typisch ist und die man genauer als seine philologische Disposition bezeichnen kann. Kafka teilte diese Weise, multilingual im Sinne von ‚polyglott' zu sein. Er kannte das Französische, Italienische (das er sich schon aus beruflichen Gründen aneignen mußte) und Englische; er trieb seit dem September 1917 Hebräisch-Studien.[2]

Entscheidender als die bildungsbiographisch bedingten Sprachkenntnisse ist der von Mauthner angedeutete Multilinguismus. Er steht im unmittelbaren Zusammenhang mit der exterritorialen Lebenssituation, der Kafka als deutschsprechender tschechischer Jude im Zwischenreich zwischen Sprachen, Dialekten und Kulturen ausgesetzt war. Die Pole der reich gestuften Sprachlandschaft Prags und Böhmens um die Jahrhundertwende bildeten ein in seinem Ghettodasein bedrohtes Deutsch sowie das Tschechische. Man darf gegen die bekannten understatements (F 344) annehmen, daß Kafka diese Sprache fließend beherrschte. Immerhin heißt es einmal: „[I]ch rede ein flüssiges Tschechisch" (T 175). Hermsdorf spricht von einer inneren und äußeren

---

1. Fritz Mauthner, Erinnerungen. I. Prager Jugendjahre. München 1918, S. 32f.
2. Französisch: B 37, 47, 132, 169; T 442, 628. Die Anfangsgründe lernte er durch seine französische Gouvernante kennen: Klaus Wagenbach, Franz Kafka. Eine Biographie seiner Jugend (im folgenden: Jugendbiographie) 1883—1912. Bern 1958, S. 35. — Italienisch: B 30, 50, 113; T 680. — Englisch: B 37. — Hartmut Binder, Kafkas Hebräisch-Studien. In: Jb. der deutschen Schillergesellschaft 11, 1967, S. 527-556.

Zweisprachigkeit des Dichters.[3] Kafkas entschiedene Feststellung dürfte zutreffen, denn offenkundig bediente er sich kolloquial des Tschechischen, wo es dessen nicht bedurft, im Gegenteil nahegelegen hätte, deutsch zu sprechen. Im Tagebuch der Reise Lugano—Paris—Erlenbach verzeichnet er anläßlich einer Bootspartie in einem Pariser Park: „Beim Anhören unseres Tschechisch Erstaunen der Passagiere, sich mit derartig Fremden in ein Boot gesetzt zu haben" (T 645; der Gesprächspartner war Max Brod).[4] Infolge der Industrialisierung Prags, die einen verstärkten Zuzug böhmischer, d.h. tschechisch sprechender Landbevölkerung notwendig machte, geriet die deutsche Sprache gegen das Jahrhundertende unter zunehmenden Druck; ein Ergebnis des industriegeschichtlichen Vorganges war die Herausbildung des „Kucheldeutschen" und „Kuchelböhmischen", die als Sondersprachen neben das „Mauscheldeutsche" traten, ein — in Wagenbachs[5] Einschätzung — nach dem Deutschen tendierendes Jiddisch, nach Meinung Kafkas „eine organische Verbindung von Papierdeutsch und Gebärdensprache" (B 336). „Kucheldeutsch" sprachen die des Deutschen zunächst nicht mächtigen Tschechen, die als Angestellte oder Hauspersonal bei wohlhabenden Deutschen oder deutschsprechenden Juden beschäftigt waren. Es handelte sich um ein Deutsch mit Anleihen bei der tschechischen Phonologie, Syntax und Lexik. „Kuchelböhmisch" bildete dazu das Pendant.[6] Wagenbach schätzt Kafkas Kenntnisse des Jiddischen als äußerst gering ein.[7] Nach Skála ist das Jiddische in Prag vom Schriftdeutschen assimiliert worden; noch verbliebene Reste habe man, wie er in Erinnerung an Mauthner schreibt, als Fremdkörper empfunden und möglichst eliminiert.[8] Diese Aussage unterstützt Wagenbachs Vermutung, doch darf nicht übersehen werden, daß sich Kafka unter dem nachhaltigen Eindruck der ostjüdischen, jiddisch spielenden Theatergruppe um Löwy, die ab Oktober 1911 in Prag gastierte, mit Sprache und Literatur der Jidden auseinandersetzte (vgl. u. S. 38f.) und diese Beschäftigung immerhin in einen Vortrag über den „Jargon" resultierte,

---

3. Klaus Hermsdorf, Zu den Briefen Franz Kafkas. In: Sinn und Form 9, 1957, 4, S. 653-662, S. 659f.

4. Zahlreich sind die brieflich erhaltenen Proben von Kafkas Tschechisch: M 42; O 85f., 109f., 128, 130f., 134, 135f., 151.

5. Wagenbach, Jugendbiographie S. 86.

6. Eugen Skála, Das Prager Deutsch. In: Eduard Goldstücker (Hrsg.), Weltfreunde. Konferenz über die Prager deutsche Literatur. Prag und Neuwied 1967, S. 122.

7. Wagenbach, Jugendbiographie S. 209, A. 310; vgl. T 182 und B 252 (Julies Jargonausdrücke), ferner F 73, 75, 77, 373, 392.

8. Skála, a.a.O.

mit dem der Dichter einen Vortragsabend Löwys im Festsaal des jüdischen Rathauses am 18.2.1912 einleitete.

Führte schon die beschriebene Vielfalt der Idiome auf die Tatsache der Sprachlichkeit und ihrer weitreichenden Implikationen, so war das Sprachthema in den hier interessierenden Jahren als Gegenstand der politischen Auseinandersetzung zwischen Deutschen und Tschechen besonderer Aufmerksamkeit sicher. Für den Stellenwert der Problematik zeugt, daß sie bis in die linguistischen Arbeiten Martys durchschlug (s.u. S. 32). Leidtragende des Sprachenkampfes waren insbesondere die jüdischen Bewohner Prags und Böhmens, die sich seit 1883 (und während Kafkas gesamter Lebenszeit) antisemitischer Propaganda und Pogromen ausgesetzt fanden und ihre soziale Integration ständig in Zweifel gezogen sahen (vgl. M 240f., 248). In einer solchen Situation mußte die Sprachenstatistik, die seit 1880 bestand, als besonders peinliches Instrument wirken. In Zeiten des erstarkenden tschechischen Nationalismus konnte es sich die jüdische Bevölkerung in der Regel nicht leisten, das Loyalitätsbekenntnis zur tschechischen Nation zu verweigern und in der Statistik für das Deutsche zu optieren. Zumal die ökonomisch schlechter gestellten Kreise konnten kaum umhin, sich über die Angaben zur Sprachenstatistik als „Tschechen" auszuweisen. Auch Kafkas Vater ließ sich als Tschechen einstufen.[9] Der Dichter selbst weigerte sich bei der Volkszählung von 1910 als einziger seiner Familie, Tschechisch als Umgangssprache anzugeben.[10]

Die besondere sprachliche Situation des „deutschen" Dichters in Prag führte in der Kritik dazu, nach den Pragismen in Kafkas Stil zu forschen oder umgekehrt diesen als Ausdruck des entschiedenen Willens zu begreifen, gegen das verengte Prager Deutsch anzuschreiben. Hier interessiert die geschilderte sprachliche Situation nicht, insofern sie die Sprachform eines Dichters geprägt hat; bemerkenswert erscheint sie als die grundlegende Voraussetzung für die Einsicht in den autonomen Status der Sprache. Kafkas Exterritorialität, um diesen von ihm selbst verwendeten (B 322, Anfang Mai 1921) Terminus zu gebrauchen, ist exemplarisch. Zwischen den Sprachen, zwischen den Kulturen, als deutscher Jude zwischen den Weltanschauungen lebend, war er dazu berufen, die Wirkungen des Sprachrealismus (Weisgerber) zu durchbrechen, denen der muttersprachlich Befangene ausgesetzt bleibt, und die prinzipielle Frag-Würdigkeit von Sprache zu erkennen. Es war der positive Aspekt der Ausstoßung und des durch sie verursachten Bruchs der Spontaneität, daß er den ar-

---

9. Christoph Stölzl, Kafkas böses Böhmen. Zur Sozialgeschichte eines Prager Juden. München 1975, S. 50f.
10. Ebd. S. 120.

chimedischen Punkt außerhalb eines Sprachsystems erlangen und Sprache kritisch reflektieren konnte. Zugleich mit dieser Chance wurde ihm bewußt, sie sei mit dem Ausgestoßensein erkauft. „Hier sind zwei vollständige Jahrgänge der Zeitschrift Naše Řeč [Unsere Sprache]. Ich lese und studiere sie eifrig. Schade, daß ich nicht alle bis jetzt erschienenen Hefte habe. Ich würde sie wirklich gerne besitzen."[11] Der leidhafte Hintergrund des Interesses für eine sprachwissenschaftliche Zeitschrift wird in der Fortsetzung der Äußerung deutlich. „Die Sprache ist der tönende Hafen der Heimat. Ich — ich bin aber ein schwerer Asthmatiker, da ich weder tschechisch noch hebräisch kann. Beides lerne ich. Das ist aber so, als ob man einem Traum nachlaufen würde. Wie kann man außen etwas finden, das aus dem Innern kommen soll?" (J 85, J² 188).

Das Bewußtsein seiner Exterritorialität war Kafka gegenwärtig. Er begriff sie nicht immer als sprachliche; manchmal erschien sie als kulturelle, manchmal als religiöse Entfremdung. Die Zeugnisse überspannen viele Jahre. 1914 bezeichnet er sich als einen Menschen, der durch sein „nichtzionistisches [...] und nichtgläubiges Judentum von jeder großen, tragenden Gemeinschaft ausgeschieden" (F 598) sei. Er behandelt an dieser Stelle die besonderen Folgen des Westjudentums für dessen westjüdischen Vertreter, als den er sich sieht. Er erwähnt die unendlichen Mühen desjenigen, der sich, aus einer „tragenden" Gemeinschaft und ihren Traditionen herausgefallen, die anderen Menschen angestammte Natürlichkeit des vergangenen, gegenwärtigen und zukünftigen Lebens erst erarbeiten müsse. Daß er sich so nachhaltig für die jiddischen Schauspieler um Löwy interessierte, hat in diesem Defizit seinen Grund. In ihnen und durch sie erlebte er eine geschlossene, eine tragende Lebensform. In einem Brief an Ottla vom 20.2.1919 wird das Gefühl, nicht dazuzugehören, an einem sprachlichen Anlaß konkret. Nach Meinung Kafkas hatte Ottla in einer Übersetzung aus dem Tschechischen Formulierungen benutzt, die das Deutsche aufzunehmen sich weigere — „allerdings soweit ich, ein Halbdeutscher, es beurteilen kann" (O 67). Am 10.4.1920 berichtet er Max Brod (B 270f.) von einem Gespräch in seiner Meraner Pension, in dem er auf seine Prager Herkunft angesprochen wurde — was ihn angesichts seiner ethnischen, nationalen *und* sprachlichen Ortlosigkeit in einige Verlegenheit versetzte. Ein Schreiben an Milena aus derselben Zeit belegt, daß ihm seine sprachliche Exterritorialität

---

11. Die Zeitschrift zur Erforschung der tschechischen Sprache (Redaktion: Miroslav Haller) erschien seit 1917; Kafka war Abonnent der Zeitschrift. Die neueste Arbeit zum Thema übersieht Kafkas Interesse für „Naše řeč: Gertrude Durusoy, L'incidence de la littérature et de la langue tchèques sur les nouvelles de Franz Kafka. Berne 1981 (= Publications Universitaires Européennes. Série I. Langue et littérature allemande. Vol. 434).

Gewißheit war: „[I]ch habe niemals unter deutschem Volk gelebt, Deutsch ist meine Muttersprache und deshalb mir natürlich, aber das Tschechische ist mir viel herzlicher" (M 22).

Die umfassendste und schonungsloseste Diagnose enthält ein Brief an Brod vom Juni 1921 aus Matliary, in dem die Situation des deutsch-jüdischen Dichters behandelt wird. Anlaß dafür war Karl Kraus' „Literatur oder Man wird doch da sehn. Eine magische Operette". Die deutsch schreibenden Juden „lebten zwischen drei Unmöglichkeiten, (die ich nur zufällig sprachliche Unmöglichkeiten nenne, es ist das Einfachste, sie so zu nennen, sie könnten aber auch ganz anders genannt werden): der Unmöglichkeit, nicht zu schreiben, der Unmöglichkeit, deutsch zu schreiben, der Unmöglichkeit, anders zu schreiben [...], also war es eine von allen Seiten unmögliche Literatur, eine Zigeunerliteratur, die das deutsche Kind aus der Wiege gestohlen und in großer Eile irgendwie zugerichtet hatte, weil doch irgendjemand auf dem Seil tanzen muß. (Aber es war ja nicht einmal das deutsche Kind, es war nichts, man sagte bloß, es tanze jemand") (B 337).

Die Annahme, Kafkas Multilinguismus sei Bedingung seines Sprachdenkens gewesen, wird durch George Steiner gestützt, der bei seiner Erörterung von Ursachen dichterischer Kreativität darauf verweist, daß nicht wenige Werke der Klassischen Moderne von Exulanten, die mit ihrem Aufenthaltsort auch ihre Sprache wechselten, geschaffen wurden.

Die Wichtigkeit des Multilinguismus für die dichterische Kreativität entwickelt Steiner erstmals in seinem Essay „Exterritorial". Die Vorstellung eines sprachlich unbehausten Autors erscheine ungewöhnlich, ohne es zu sein. Daß die Vorstellung begründet ist, zeige ein Blick in die Literaturgeschichte. Als Ausgesetzter im doppelten Sinne, Jude und Exulant, sei Heine ein geschichtlicher Musterfall, der das Phänomen der Beckett, Pound und Nabokov vorwegnimmt. Diese Namen bestimmen Steiner zu der Feststellung: „Die Gleichsetzung von nur einem einzigen sprachlichen Angelpunkt, angeborener tiefer Verwurzelung, mit dichterischer Kraft ist wieder in Zweifel geraten."[12] Für ihn ist es nicht abwegig, Nabokovs gesamtes Oeuvre „als Meditation [...] über das Wesen der menschlichen Sprache" zu verstehen, als Auseinandersetzung mit den „verschiedene[n] sprachlich begründete[n] Weltansichten"[13]; das gilt prinzipiell für Kafka, über den sich Steiner in der Abhandlung „Von Nuance und Skrupel" äußert: „Kafka erfuhr den gleichzeitigen Druck und die dichterische Versuchung von drei Sprachen — Tschechisch, Deutsch und Jiddisch. Man kann eine Anzahl seiner Erzählungen und Parabeln als symboli-

12. A.a.O., S. 17-27, S. 18ff.
13. Ebd. S. 23.

sche Bekenntnisse eines Mannes lesen, der in der Sprache, in der er nach Wahl oder unter Zwang schrieb, nicht voll zu Hause war."[14] Die Bedeutung dieser Äußerung wird durch die Behauptung, von allen drei Idiomen seien dichterische Versuchungen ausgegangen, nicht beeinträchtigt.

§ 2. *Božena Němcová, Die Großmutter*

Obgleich Božena Němcovás Roman „Babička" (Prag 1855) zu denjenigen Büchern gehört, die Kafka zum ständigen geistigen Besitz wurden[1], ist seine mögliche Bedeutung für den Dichter bis heute nicht hinreichend in Betracht gezogen worden. Zwar hat man in dem Roman eine Anregung (neben anderen) zum „Schloß" vermutet[2], aber für Überlegungen zum sprachkritischen Bewußtseinsstand Kafkas wurde er bislang nicht berücksichtigt.[3] Das zu tun ist jedoch nicht abwegig: Die Problematik der sprachlich begründeten Exterritorialität erscheint mehrmals im Verlauf der Erzählung; sie gewinnt dadurch besonderes Gewicht, daß sie in Überlegungen, die die Großmutter in wichtigen Augenblicken ihres Lebens anstellt, eine maßgebliche Rolle spielt.

Die Großmutter lebt ursprünglich in einem böhmischen Bergdorf an der Grenze nach Schlesien. Sie erhält eines Tages einen Brief ihrer in Wien verheirateten Tochter, ihr Mann sei in den Dienst einer Fürstin getreten, die eine Herrschaft in Böhmen habe, wo sich die Familie dauernd einrichten werde: Die Großmutter möge zu ihr ziehen. Und so tut sie es auch. Das Wirken der alten Frau in Familie und ländlicher Umwelt ist Gegenstand des Romans.[4]

Kafka, der Exterritoriale schlechthin, erfuhr im Roman eine Wirklichkeit, die der eigenen diametral entgegengesetzt war. Diese andere Welt kann zwar nicht als heile bezeichnet werden (auch in ihr erfahren Menschen Leid, auch in ihr kann sich Natur katastrophal darstellen); dessen ungeachtet aber können sich die Menschen der Romanwelt sicher fühlen. Sie wurzeln in einem fraglos geltenden, ethnisch gewachsenen sozialen Gefüge; in ihm fühlen sie

14. In: Exterritorial S. 29-41, S. 34.

1. O 130; M 28, 245; B 170 erwähnt die (tschechische) Lektüre von Briefen der Němcová.

2. Wagenbach, Jugendbiographie S. 44; Josef Mühlberger im Nachwort zur deutschen Ausgabe des Romans. München 1981, S. 269.

3. Unter dem Gesichtspunkt der sprachlichen Exterritorialität geht auch G. Durusoy nicht auf den Roman ein.

4. Zugrunde gelegt wird: Bozena Nemková, Die Großmutter. Leipzig 1956, 1962². Deutsch von Günther Jarosch.

sich ebenso aufgehoben wie in einem noch unbestritten gültigen System religi-
öser Normen, als deren Ausdruck der geregelte Ablauf des geistlichen Jahres
mit seinen zahlreichen Festen und streng zu befolgenden Kultvorschriften das
Leben der Gemeinschaft liturgisch prägt. Brauchtum wird so angelegentlich
vergegenwärtigt, daß sich manche Seiten wie Partien aus einem (erzählenden)
volkskundlichen Handbuch lesen. Im Einklang von natürlicher, kultischer sowie ethnischer Ordnung und Leitung findet der einzelne seine Identität, die
zugleich die mit der Gemeinschaft ist. Zeigen sich Anzeichen für eine Locke-
rung der vorhandenen Ordnung, so bewährt sich die Großmutter als Garan-
tin tradierter Wertvorstellungen. Das findet seinen Ausdruck darin, daß ihre
Reden nicht nur ständig in gnomische Wendungen auslaufen, sondern ihr
Sprechen überhaupt phraseologisch gerät: Redensarten und Spruchweisheiten
werden fortlaufend, apotropäischen Sprachgesten vergleichbar, reproduziert.
Bisweilen grenzt sprachliche Praxis an Wortmagie. Manche Handlungen können nur gelingen, wenn man dazu die vorgeschriebenen Worte spricht.[5]

Die Identität des Menschen mit seiner Welt stellt sich vorrangig in seiner
Muttersprache her. Möglich ist das — in der Sicht des Romans — nur, wenn
der Mensch in seiner Sprachheimat lebt. Nicht von ungefähr hat eine zwei-
sprachig Großgewordene (Němcovás Vater war Österreicher, ihre Mutter
Tschechin[6]) den Roman geschrieben. Die Spuren dessen sind nicht zu übersehen.

Metasprachlich orientierte Episoden gibt es mehrfach (S. 34 wird der Blick
auf die Redeweise verschiedener Menschen im Umkreis der Großmutter gelenkt; S. 109 erinnert die Sprachenvielfalt im Schloß die Großmutter an babylonische Verhältnisse etc.), doch nicht sie interessieren. Aufmerksamkeit verdient die Erzählung desjenigen Momentes im Leben der Großmutter, in dem
die tiefgreifende Angst vor sprachlicher Exterritorialität zum Motiv einer Zu-
kunftsentscheidung wird.

Die Großmutter erzählt einmal der (auf jenem Schloß in Böhmen lebenden) Fürstin von ihrem langjährigen Leben in Schlesien, zu dem sie gezwun-
gen war, da ihr Mann 15 Jahre in preußischen Diensten stand. Nach seinem
Tod stellt sich ihr die Frage, ob sie wegen der ihr in Aussicht gestellten Versor-
gung dort bleiben oder nach Böhmen zurückkehren solle. Sie entschließt sich
zu letzterem: „Es haperte bei mir auch mit der deutschen Sprache. Solange wir
im Glatzer Kessel gewesen waren, hatte ich das nicht so empfunden, da hatte
ich mich wie zu Hause gefühlt, denn dort sprach man mehr tschechisch als

5. Z.B. beim Ausklopfen von Weidenholz für eine Flöte. A.a.O., S. 227f.
6. Durusoy, a.a.O., p. 41 suiv.

21

deutsch, aber in Neiße überwog schon das Deutsche, und ich konnte und konnte die deutsche Sprache nicht richtig erlernen" (S. 117). Weil sie sich weigert, alleine nach Böhmen zu ziehen, muß sie auf ein Stipendium für ihre Kinder verzichten. Die folgenden Wendungen spitzen die Frage auf das hier interessierende Problem zu: „Von den Kindern aber wollte ich mich nicht trennen, die wollte ich in meinem Glauben und in meiner Sprache erziehen" (ebd.). Man verweigert ihr eine Abfindung, und sie zieht mit ihren Kindern zu ihren Eltern nach Böhmen. Die Fürstin wendet ein, man dürfe doch annehmen, die Kinder wären in Schlesien gut versorgt gewesen. „,,Das ist leicht möglich, gnädige Frau, aber sie wären mir entfremdet worden. Wer hätte sie dort gelehrt, ihre Heimat und ihre Muttersprache zu lieben? Niemand! Fremde Sprache, fremde Sitten hätten sie gelernt und schließlich ihre Herkunft ganz und gar vergessen. Wie hätte ich das vor meinem Herrgott verantworten können? Nein, nein, wer tschechisches Blut in seinen Adern hat, soll auch bei der tschechischen Sprache bleiben!'"

Noch die alte Frau bekümmert es merklich, daß ihre beiden Töchter keinen Tschechen zum Mann haben. Im Falle der Älteren, in deren Haushalt sie lebt, werden dafür ausdrücklich sprachliche Gründe geltend gemacht. Ihren Schwiegersohn, einen Deutschen, mag sie sehr: „Nur eins störte sie an ihm, nämlich, daß er die tschechische Sprache nicht beherrschte. Sie aber hatte das bißchen Deutsch, das sie einmal konnte, längst vergessen. Und sie hätte sich doch so gern mit Johann unterhalten! Johann tröstete sie aber damit, daß er Tschechisch verstehe. Die Großmutter hörte gleich, daß die Unterhaltung im Hause in zwei Sprachen geführt wurde: Kinder und Mägde redeten Herrn Proschek tschechisch an, und er antwortete ihnen deutsch, was sie bereits verstanden" (S. 12, vgl. auch S. 324).

Kafka, der einmal von der Sprache als dem tönenden Hafen der Heimat gesprochen haben soll (J 85, J² 188), wird gerade die vorletzte der zitierten Stellen sehr nachdenklich gelesen haben. Das Syndrom der eigenen Exterritorialität, das er in nicht wenigen werkbegleitenden Äußerungen berührt, kehrt in den Erwägungen der Großmutter zur Gänze wieder. Angst vor der Entfremdung von der religiösen Tradition, von der angestammten Sprache, von der Lebensform der Nation bestimmen sie zu ihrer Entscheidung. Die sprachliche Entfremdung ist nicht nur der deutlichste *Ausdruck* für das Herausfallen aus Tradition, sie ist — wie in den entsprechenden Partien zweifelsfrei zur Geltung kommt — auch ihr *Grund*.

§ 3. Die sprachkritische Situation um 1900.

Es bedeutete eine unangemessene Verengung des Horizontes, wollte man für Kafkas sprachkritische Disposition lediglich seine besondere Prager und böhmische Ausgangssituation anführen. Pragensia hatten ihren spezifischen Stellenwert (der erörtert wurde); sie hatten aber zugleich die Funktion eines Katalysators, insofern sie eine Einstellung förderten, die für die Jahre um 1900 überhaupt kennzeichnend war. Kafkas Nachdenken über die Sprache ist Teil der europäischen Sprachkritik der Zeit, die zu skizzieren einige Hinweise genügen sollen.

Die Jahre um die letzte Jahrhundertwende bilden einen ersten Höhepunkt wissenschaftlicher und ihr bisweilen noch vorgängiger poetischer Sprachkritik. Mauthner variierend, müßte man es als unverständlich bezeichnen, wäre Kafka von dieser epochalen Bewegung *nicht* erfaßt worden. Hauptdaten bilden für den engeren Kulturkreis Kafkas Fritz Mauthners[1] „Beiträge zu einer Kritik der Sprache" (1901—1902) auf Seiten der theoretischen und Hofmannsthals „Chandos-Brief" („Ein Brief") auf Seiten der poetischen Auseinandersetzung mit dem Medium. Zahlreiche weitere Aktivitäten fügen sich zu den genannten. Landauer publizierte „Versuche im Anschluß an Mauthners Sprachkritik."[2] Anton Marty, der Philosoph der Prager deutschen Universität, veröffentlichte 1908 den ersten Band seiner „Untersuchungen zur Grundlegung der allgemeinen Grammatik und Sprachphilosophie", Wilhelm Wundt und Karl Voßler traten in diesen Jahren mit ihren Arbeiten hervor.[3] Georges frühe, immanent sprachkritische Poesie, Musils vor allem im „Mann ohne Eigenschaften" sich bekundende Sprachskepsis[4], Rilkes sporadisches Eingehen — und prinzipiell ständiges Aufmerken — auf die Sprachthematik sind zu erwähnen. Mit mindestens gleicher Intensität setzte die Linguistisierung des Denkens in der Romania, insbesondere in Frankreich, ein. Sie ging von der Poesie aus und führte um die Jahrhundertwende zu einer bemerkenswerten Interaktion von Wissenschaft und Dichtung. Von Charles Baudelaire läßt sich eine sprachkritische Bewegung über Mallarmé zu Valéry verfolgen, von dem Weinrich sagt, sein Dichten gehe mit einem nachweislichen Interesse für sprachwissenschaftliche Fragen einher. Valéry besprach nicht nur Michel Bréals

---

1. 3 Bde. Berlin und Stuttgart 1901—1902.
2. Gustav Landauer, Skepsis und Mystik. Versuch im Anschluß an Mauthners Sprachkritik. Berlin 1903.
3. Voßler, Positivismus und Idealismus in der Sprachwissenschaft (1904); Wundt, Völkerpsychologie (seit 1900).
4. Dazu: C.A.M. Nobbe, Wort und Wirklichkeit. In: Literatur und Kritik 1974, S. 389-392.

23

„Essai de sémantique" von 1897 im Jahr nach seinem Erscheinen[5]; er war auch ein intensiver Leser von Léon Clédats „Dictionnaire étymologique de la langue francaise"[6]. Das hat seine Entsprechung bei Rilke: Das Grimmsche Wörterbuch, das ihn zuerst in Paris (während seines Aufenthaltes bei Rodin) nachhaltig beeindruckte[7], stand seit Juni 1913, soweit erschienen, als Geschenk des Insel-Verlages unter seinen Büchern.

Sprachreflexion und Sprachkritik gab es auch vor der angedeuteten Linguistisierung des Bewußtseins, doch die ganz auffällige Stärkung sprachkritischer Aktivitäten um 1900 unterscheidet sie von früherer (z.b. aus der Not des Mystikers oder dem begriffsironischen Bewußtsein des Romantikers resultierender) Auseinandersetzung mit Sprache. Die sprachkritische Bewegung hatte eine deutliche geistes- und zeitgeschichtliche Motivation. Daß das Bewußtsein der Spätzeitlichkeit in den Jahren des ausgehenden 19. Jahrhunderts verbreitet war, daß man sich in der (fragwürdigen) Rolle des Erben zu sehen pflegte, ist bekannt. Es hat seinen tieferen Sinn, daß der Autor des Chandos-Briefes auch das berühmte „Lebenslied" von 1896 dichtete.[8] Das Bewußtsein des Spät- und Nachgeborenseins prägte die Sprachkritik der Zeit nachhaltig. In der im vorliegenden Zusammenhang noch wichtig werdenden Würdigung des Schauspielers Friedrich Mitterwurzer spricht Hofmannsthal von den „dumpfen Lügen der Tradition"[9], und Fritz Mauthner stellt in seinen Lebenserinnerungen fest, „daß die Sprache als die Summe der menschheitlichen Erinnerungen jeden einzelnen Menschen zwingt, beim Denken oder Sprechen die Leichen der Vergangenheit mit sich herumzutragen, daß er diese Leichen oder Gespenster nur mit dem Denken oder dem Sprechen selbst von sich werfen kann, wie seinen Körper nur mit seinem Leben."[10] Daß diese Erfahrung gerade in den Jahren virulent werden konnte, ist kein Zufall, sondern entspricht einem Zeitalter, das Walter Rathenau unter den Begriff der Mechanisierung stellte und als dessen Charakteristikum Friedrich Gundolf, in der Diagnose mit Rathenau übereinstimmend, die Auflösung von Wesenheiten in Beziehungen auf allen

5. Harald Weinrich, Linguistische Bemerkungen zur modernen Lyrik. In: Akzente 15, 1968, S. 29-47, S. 40.
6. Robinson 1, 1452.
7. Vgl. den Brief Rilkes an Lou vom 10.3.1903.
8. Gedichte und lyrische Dramen. Hrsg. von Herbert Steiner . Stockholm 1952 7.-11. Tsd. 1952 (= Gesammelte Werke in Einzelausgaben), S. 12f.
9. Hugo von Hofmannsthal, „Friedrich Mitterwurzer" von Eugen Guglia. In: H.v.H., Prosa I. Frankfurt/M. 6.-10. Tsd. 1956 (= Gesammelte Werke in Einzelausgaben. Hrsg. von Herbert Steiner), S. 228-232, S. 228.
10. Mauthner, Erinnerungen. I, S. 226.

Ebenen menschlichen Lebens beschrieb.[11] Über diese allgemeinste Formulierung hinaus kann man den bewußtseinsgeschichtlichen Moment der Herausbildung der Sprachkritik im Prozeß der Mechanisierung genau bestimmen. Er ist an jenen von Rathenau mit Nachdruck beschriebenen dialektischen Umschlag der Mechanisierung in das Bewußtsein des aus ihr entspringenden anthropologischen Defizits anzubinden. Gemeinsames Merkmal aller Formen von Mechanisierung, die ursprünglich in der Gütererzeugung gründet, ist „ein Zug von Spezialisierung und Abstraktion, von gewollter Zwangsläufigkeit, von zweckhaftem, rezeptmäßigem Denken [...] ein Geist, der die Wahl des Namens Mechanisierung auch im Sinne des Gefühlsmäßigen zu rechtfertigen scheint."[12] Die Entwicklung — in dieser Deutung unterscheidet sich Rathenau von der in Ablehnung verharrenden Kritik des George-Kreises — ist durch ihre Notwendigkeit legitimiert. Es bedarf der mechanistischen Aporie, dieses „Überspannungsschmerzes"[13], um den Menschen auf die Unverzichtbarkeit einer Neubesinnung auf sich selbst und damit zur Überwindung mechanistischen Denkens und Handelns zu stoßen. (Noch der psychedelische Antiverbalismus eines Aldous Huxley ist als später Ausläufer sprachkritischen Denkens in den Problemkreis einzubeziehen.)

Die Reduktion der Sprache auf ein (lediglich denotierendes) Instrument zur Vermittlung endlicher und abrufbarer Daten bildete Bedingung und Folge zugleich einer inflationierten Kommunikation, die für die Epoche der Mechanisierung signifikant war (und ist). Der Zusammenhang wird im Mitterwurzer-Nachruf ausdrücklich: „Das Hörensagen hat die Welt verschluckt. Die unendlich komplexen Lügen der Zeit, die dumpfen Lügen der Tradition, die Lügen der Ämter, die Lügen der einzelnen, die Lügen der Wissenschaften, alles das sitzt wie Myriaden tödlicher Fliegen auf unserem armen Leben. Wir sind im Besitz eines entsetzlichen Verfahrens, das Denken völlig unter den Begriffen zu ersticken. Es ist beinahe niemand mehr imstande, sich Rechenschaft zu geben, was er versteht und was er nicht versteht, zu sagen, was er spürt und was er nicht spürt."[14]

Das Verstummen bleibt als *ein* Ausweg. Mallarmé suchte die Lösung in der Besinnung auf verschüttete sprachliche Dimensionen: „Donner un sens plus pur aux mots de la tribu" ist die bekannte Formel. Kurt Wais hat den Blick auf Mallarmés Bemühen gelenkt, „einiges aus dem bildlos gewordenen Wort-

---

11. Wesen und Bedeutung. In: Jb. für die geistige Bewegung 2, 1911, S. 10-35.
12. Zur Kritik der Zeit. Berlin 1918[13-15], S. 52.
13. Zur Mechanik des Geistes. Berlin 1913, S. 339.
14. Prosa I, S. 228.

schatz durch etymologisches Nachgraben wieder freizulegen."[15] Die Formulierung führt zu Kafka zurück. Etymologisierende oder pseudologisierende Reflektion und die Zurückführung uneigentlicher Wendungen auf den ihnen zugrunde liegenden gegenständlichen Gehalt („Metaphernreduktion") sind Sprachoperationen, die er im Vorfeld poetischer Gestaltung ausführt.

§ 4. Zur Sprachwissenschaft Anton Martys.

Daß Kafka bei dem Brentano-Schüler Anton Marty (1847—1914), dem 1880 aus Czernowitz berufenen Ordinarius für Philosophie an der Prager deutschen Universität, studiert hat, ist bekannt.[1] Er hörte bei ihm die für Jurastudenten der Universität obligatorische Philosophievorlesung, die im Sommersemester 1902, dem zweiten Semester Kafkas, „Grundfragen der deskriptiven Psychologie" galt.[2] Unklarheit besteht hinsichtlich der Frage, ob und in welchem Umfang Kafka an weiteren Lehrveranstaltungen Martys teilnahm. Wagenbach spricht von privaten Kolloquien, die der Jurastudent noch bis 1905 besucht habe. Unter Bezug auf eine mündliche Mitteilung Hugo Bergmanns berichtet er ferner, Marty habe Kafka am Ende eines Kolloquiums durchfallen lassen.[3] Als Marty-Schüler hatte Kafka auch Zutritt zum Brentanisten-Zirkel im Café Louvre — eine Tatsache, die, wie auch die Kolloquien, in der Biographie Max Brods mit Rücksicht auf eine persönliche Erfahrung des Verfassers nicht erwähnt wird.[4]

Während Wagenbach bemerkt, die Quellen für Kafkas Teilnahme an den „Seminarien" Martys seien zahlreich und voneinander unabhängig, werden gerade die Tatsache der Martyschen Kolloquien im Sinne Wagenbachs und Kafkas Beteiligung daran von Hartmut Binder bestritten: „Entgegen Wagenbachs Behauptung hat Kafka [...] nie an einem Seminar Martys teilgenommen [...],

15. Etymologisch disponierte Sprachen und die Freiheit des Dichters. In: Karl-Richard Bausch und Hans-Martin Gauger (Hrsg.), Interlinguistica. Festschrift zum 60. Geburtstag von Mario Wandruszka. Tübingen 1971, S. 340-352, S. 348.

1. Zur Biographie Martys: Oskar Kraus, Martys Leben und Werke. Eine Skizze. In: A. M., Gesammelte Werke. Hrsg. von Josef Eisenmeier, Alfred Kastil, Oskar Kraus. I. Band, 1. Abtlg. Halle/S. 1916, S. 1-68.

2. Wagenbach, Jugendbiographie S. 243.

3. Ebd. S. 117.

4. Ebd. S. 107 u. S. 214, Anm. 396.

denn die von Hugo Bergmann bezeugte Absolvierung eines Kolloquiums bei Marty meint [...] keine Übung, sondern eine Abschlußprüfung im Anschluß an eine Vorlesung."[6] So steht Behauptung gegen Behauptung; Binder zeigt nicht, wie der Konflikt in seinem Sinne gelöst werden könnte. In seinen „Erinnerungen an Franz Kafka" schreibt Salomon Hugo Bergmann auch nicht mehr, als daß Kafka die im Anschluß an die erwähnte Vorlesung stattgehabte „Übergangsprüfung" im Hause Martys, an der sie gemeinsam teilgenommen, nicht bestanden habe.[7] Die Ausführungen Max Brods in seiner Autobiographie „Streitbares Leben 1884—1968" tragen ebenfalls nicht zu einer befriedigenden Klärung der Frage bei. Brod spricht von einem Seminar in Martys Privatwohnung, das er selbst zwei Semester lang besucht habe. „Kafka war vielleicht in seinem ersten Hochschuljahr, in dem ich ihn noch nicht kannte, Besucher eines solchen Seminars [...] ich selber habe ihn nie bei Seminaren oder Vorlesungen Martys gesehen."[8] Brods Erinnerung gibt sich deutlich genug als vage zu erkennen. Mit der von Wagenbach erwähnten bemerkenswerten Jahreszahl 1905, die er nicht ohne Grund genannt haben sollte, setzt sich keiner der drei beigezogenen Autoren auseinander.

Die Revision der Zeugen ergibt kein klares Bild. Um so weniger sollte sich die rekonstruierende Recherche der Chance begeben, eine sprachwissenschaftliche Anregung Kafkas durch Marty als im Bereich des Möglichen gelegen anzunehmen. Zumindest die Objektität von Korrespondenzen zwischen poetischem und linguistischem Werk kann konstatiert werden. (Die Formulierung will bewußt zur Diskussion stellen, ob im vorliegenden Fall von phänomenalen Übereinstimmungen auf Anregung des Dichters durch Marty geschlossen werden dürfe.) Selbst angenommen, Kafka habe nicht an den von Wagenbach genannten Seminarien teilgenommen, müßte es verwundern, hätte sich ihm nichts von den wissenschaftlichen Aktivitäten Martys mitgeteilt, die, in den ersten Jahren des Jahrhunderts begonnen, 1908 mit dem ersten Band der „Untersuchungen zur Grundlegung der allgemeinen Grammatik und Sprachphilosophie" der Öffentlichkeit vorgestellt wurden. Eine strikt positivistische Vorgehensweise verkennte, daß der Student und gleichzeitige Teilnehmer an den Gesprächen im „Louvre" von der Tätigkeit des gleichzeitig an derselben Hochschule wirkenden Lehrers gewußt haben dürfte, ohne in jedem Falle an

5. Ebd. S. 116 u. S. 216, Anm. 426.
6. Leben und Persönlichkeit Franz Kafkas. In: Kafka-Handbuch in 2 Bänden. Unter Mitarbeit zahlreicher Fachwissenschaftler hrsg. von Hartmut Binder. Bd. 1: Der Mensch und seine Zeit. Bd. 2: Das Werk und seine Wirkung. Stuttgart 1979 (im folgenden: Kafka-Hb.), Bd. 1, S. 287.
7. In: Universitas 27, 1, 1972, S. 739-750, S. 745.
8. München, Berlin, Wien 1969, S. 168.

seinen Lehrveranstaltungen teilzunehmen. Brod bezeichnet Marty als „Schirmherrn und Schutzpatron" des Louvre-Zirkels.[9]

Die Erörterung einer Einwirkung Martys auf Kafka konzentriert sich auf vier Hauptpunkte: die Differenzierung und Neubewertung des Begriffs der „inneren Sprachform" und die sich daraus ergebende Folgerung (1), die Bestimmung des Verhältnisses von Grammatik und Logik (2), Überlegungen zum Modus der Synkategorematisierung (3) sowie schließlich auf Martys Ausführungen zur semantischen Entwicklung von Ausdrücken für psychische Regungen (4).

Aus dem Jahre 1904, also aus der Zeit von Kafkas Studium an der Prager Universität, stammt die Vorlesung über „Grundfragen der Sprachphilosophie", die in Kürze die Grundgedanken der ersten 300 Seiten der späteren „Untersuchungen" wiedergibt und damit wesentliche Elemente des Sprachdenkens Martys leicht erreichbar macht.[10] Sprachwissenschaft definiert hier Marty als diejenige der der Sprache zugewandten Aktivitäten, die sich mit Prinzipienfragen beschäftigt, soweit sie psychischer Relevanz sind oder „nicht ohne vornehmliche Hilfe der Psychologie gelöst werden können" (S. 83). Ausgehend von der durch Brentano entwickelten Klassifikation seelisch-mentaler Tätigkeiten in Vorstellen, Urteilen und Interessenehmen (S. 113) scheidet er die autosemantischen Sprachmittel in Aussagen, Emotive und Vorstellungssuggestive.[11]

Die psychologische Grundlegung von Martys Sprachwissenschaft macht die von Humboldt erheblich abweichende Sehweise der „inneren Form" (einer Sprache) verständlich. Im Unterschied zur „äußeren Sprachform" geht die innere nach Marty nicht auf diejenigen Züge am sprachlichen Material, die als phänomenale von außen, „sinnlich", erfaßt werden können; die innere Form meint diejenigen Eigenschaften des Wortes, namentlich im Bereich der Bedeutung, die nur innerlich, durch Introspektion des kompetenten Sprechers, erkannt und begriffen werden können.

Das generelle Phänomen differenziert Marty in die „figürliche", die „genetische" und die „konstruktive" innere Sprachform. „Figürliche" innere Sprachform ist bildhafte Rede, der von Marty die Funktion einer die Bedeu-

---

9. Ebd.

10. Grundfragen der Sprachphilosophie. Eine Vorlesung Anton Martys aus dem Jahre 1904. In: Otto Funke (Hrsg.), A. M., Nachgelassene Schriften. Psyche und Sprachstruktur. Bern 1940, S. 75-117.

11. Marty, Selbstanzeige der Untersuchungen zur Grundlegung der allgemeinen Grammatik und Sprachphilosophie. In: Gesammelte Werke. II. Bd., 2. Abtlg. Halle/S. 1920, S. 123-128, S. 123f.

tung stützenden Hilfsvorstellung zugewiesen wird, die das Verständnis erleichtern, aber auch ästhetisches Vergnügen wecken soll (S. 93). In anderem Zusammenhang bezeichnet er die innere Form prägnant als „ein Vorstellen durch Stellvertreter".[12] Man vereinfacht nicht, wenn man sagt, daß Marty unter „figürlicher" innerer Sprachform Weisen uneigentlichen (nicht nur metaphorischen) Sprechens versteht. Beispiele, die er selbst anführt und die zeigen, wieso er sagen kann, das Prinzip der figürlichen inneren Form arbeite auf der Grundlage von Ähnlichkeit, Analogie und Kontiguität (S. 96), sind: etwas links liegen lassen — etwas zur linken Hand lassen — Blutorange — begreifen — auf dem Holzweg sein — weder Kopf noch Fuß haben.

Den Ursprung dieser Sprachform erörternd (S. 94ff.), deutet Marty auf den Zwang zu sprachlicher Ökonomie. Durch Zeichen- und (damit) partielle Bedeutungsübertragung (Translatio, Metaphora) wird es möglich, mit einem überschaubaren Repertoire von Zeichen eine ungleich größere Zahl von Daten zu verbalisieren. „Man musste jene wenigen nachahmenden Zeichen weit über den Kreis dessen hinaus verwenden, was unmittelbar und primär durch sie dargestellt wurde; und damit trat sofort die sogenannte *innere Sprachform* in dem Sinn, wie ich davon sprach, in Erscheinung" (S. 94).

Für seine Annahme kann Marty auf die dichterische Praxis verweisen. Der Sprachschatz eines Shakespeare bleibt mit ca. 20.000 Wörtern beschränkt, und doch ist für seine Dramen eine nicht unerhebliche Weltfülle zu konstatieren. Deren Ursache ist nicht zuletzt im Wissen um die Möglichkeiten der figürlichen inneren Sprachform anzunehmen, in der „mannigfache[n] Verwendung *eines* Wortes für verschiedene Bedeutungen, worin gerade der Dichter besondere Freiheit walten lassen kann" (S. 95). Nur eine der möglichen Relevanzen Martys für Kafkas nachmalige poetische Tätigkeit, und zudem durchaus nicht die wichtigste, deutet sich an: Das Spiel mit der Polysemie, das Verbergen unterschiedlicher semantischer Konzepte unter derselben image acoustique (de Saussure), entspricht dem insbesondere im „Prozeß" eingesetzten Mechanismus, den zu erkennen für das Verständnis sämtlicher Vorgänge auf der Inhaltsebene des Romans unerläßlich ist. Im Unterschied zu Humboldt trennt Marty innere Sprachform und Bedeutung. Er nennt Belege dafür, daß „bei verschiedener Bedeutung die Begleitvorstellungen die gleiche sein" (S. 96) kann (und umgekehrt). Sein Beispiel ist die Reihe: tiefe Schlucht, tiefer Ton, tiefes Mißtrauen. „[D]er Schein von Bedeutungsgleichheit ist hiebei um so stärker, da dieselbe äussere und figürlich innere Sprachform am Werke sind, um über die

---

12. Über das Verhältnis von Grammatik und Logik. Gesammelte Werke II. Bd., 2. Abtlg., S. 57-99, S. 70, Anm. 2.

Verschiedenheit der Bedeutung hinwegzutäuschen" (ebd.). Daß dem so ist, führt Kafka im Roman vor. Josef K.'s Handlungsweise ist für denjenigen kennzeichnend, der die fallacy of verbalism nicht durchschaut. K. durchschaut nicht, daß die autosemantischen Elemente aus dem Sinnbezirk der Rechtsstaatlichkeit den Status konnektierender Terme (Greimas), in denen die Bedeutungsebenen ununterscheidbar zusammenfallen, besitzen. „Hinwegtäuschen" über diesen Sachverhalt läßt sich auch allzu leicht mancher Leser des Romans.

„Ist [...] *die Nebenvorstellung nicht mehr im Bewusstsein*, handelt es sich sozusagen um ‚erstarrte' Gebilde, welche von der ursprünglichen Nebenvorstellung nichts mehr an sich erfahren lassen, sondern worüber nur die historischgenetische Betrachtung Aufschluss geben kann, dann sprechen wir von *genetischer innerer Sprachform*" (S. 94). Marty beschreibt damit den Regelfall: Worte lösen sich zunehmend aus ihrem (semantischen) Herkunftsbereich, von dem her sie ihre ursprüngliche Valorisierung erfuhren, und ordnen sich begrifflich in andersartige sprachliche Felder ein. Sie verlieren so ihre etymische Transparenz und werden zu „undurchsichtigen Wörtern" (Gauger). Damit ist dasjenige sprachliche Datum bezeichnet, das, objektiv besehen, eine erhebliche Affinität Martyschen und Kafkaschen Denkens anzunehmen nahelegt, denn ein Großteil seiner poetischen Figurationen resultiert aus der Fähigkeit des Dichters zu der beschriebenen historisch-genetischen Betrachtung, die der normale Umgang mit Sprache nicht kennt und auch nicht kennen darf, soll denn reibungslose Kommunikation vonstatten gehen. Der Dichter aber hat sich sein Wissen um die historische Dimension seines Mediums erhalten; er schreibt aus der Erinnerung von Bedeutungsgeschichten. Was sich an Kafka zeigt, kennzeichnet den Typus, und zugleich stellt Kafka dessen überdeutliche Konkretion dar: Eben dieses Zugleich von Typischem und Individuellem gebietet Behutsamkeit bei der Beantwortung einflußorientierter Fragen. Der Boden für ein Aufgehen Martyscher Gedanken wird vorhanden gewesen sein, und diese könnten in erheblichem Maße zu einer Selbstvergewisserung des Dichters beigetragen haben. (Marty belegt sein Argument mit Beispielen: erörtern, Sinn, Sintflut, Himmel: Das erste könnte zu unvorgreiflichem Nachdenken anregen, ob die Erzählung „Der Bau" als eine Manifestation des Begriffes der ‚Erörterung' verstanden werden kann (s. u. S. 93).

Marty beschränkt seine Darlegungen zur genetischen inneren Sprachform nicht auf die Autosemantica. Das Prinzip begegnet auch bei „mitbezeichnenden Sprachmitteln, bei den sogenannten Partikeln (wie: Konjunktionen, Präpositionen usw.)" (S. 93f.). Mit dem Wirken der genetischen inneren Sprachform ist also in zweifacher Hinsicht zu rechnen: Auch bei der Grammatikalisierung eines ursprünglich selbstbedeutenden Elementes ist sie virulent. Auch *diese* Tatsache ist von Kafka bedacht und zum Motiv der Gestaltung gemacht worden. Das belegt seine poetische Resemantisierung von Präpositionen. Zu denken ist — mit Marty und für Kafka — auch an den autosemantischen Ursprung von Suffixen.[13]

Daß ein begonnener Satz zuende geführt wird, kann, wenn man nicht auf Formationsregeln zurückgreifen will, damit erklärt werden, daß sich vom schon vorhandenen Wort, das in vielfältigen (latenten) Strukturdimensionen steht, Perspektiven für eine Fortführung der Verkettung ergeben. Auf diesen Sachverhalt richtet sich der Begriff der „konstruktiven inneren Form". Aus Gründen des schnellen und reibungslosen Verständnisses sollte der Zusammenhang einer Vorstellung, eines Gedankens, auch während des Redevollzuges erhalten bleiben. „Dazu tragen nun *jene begleitenden Vorstellungen und Antizipationen* bei, die gewissermassen über die ganze Bedeutung hin entstehen [...], schon während ich bloss einzelne sprachliche Teile des Ganzen höre" (S. 98). Diese sprachliche Tatsache ist von Kleist in seinem bekannten Aufsatz thematisiert worden. Ganz nahe führt diese Formulierung an Kleists „Über die allmähliche Verfertigung der Gedanken beim Reden" heran: „Das einzelne Wort für sich erweckt nicht ein volles Verständnis; es bedarf, um verstanden zu werden, des Zusammenhanges mit anderen. Wenn nun aber auch das einzelne Wort nicht alles zu sagen vermag, was durch die ganze Wortfolge gemeint ist, so erwecken doch auch schon diese aufeinanderfolgenden Teile des Satzes *gewisse Vorstellungen und Erwartungen* in bezug auf das Ganze der Bedeutung, und auch durch diese vorläufigen Erwartungen wird, wenn ich so sagen darf, das Verständnis vermittelt und vorbereitet (S. 97)." Der Begriff der Präsupposition liegt nahe. Als präsuppositiv im weiteren Sinne ist auch Kafkas Schreiben (vgl. z.B. die Ausführungen zum „Prozeß") zu verstehen.

Desweiteren setzt sich Marty mit vorgängigen Auffassungen der inneren Sprachform auseinander. An Humboldt kritisiert er, daß er sie mit der „dem betreffenden Volke eigentümliche[n] Weltanschauung" (S. 100) gleichsetze. Innere Sprachform im Sinne Martys ist kein Spezificum der einzelnen Sprache; der Begriff bezeichnet vielmehr einen sprachlichen Mechanismus, der insofern universale Konstante ist, als das von ihm beschriebene sprachbildende Prinzip in potentiell allen Sprachen wirksam ist. Letztendlich verfügen Marty und sein Vorgänger über einen unterschiedlichen Begriff des Begriffs. Im Gegensatz zu Humboldt hält Marty an der Vorstellung, es gebe Synonyme, fest. Für Humboldt bedeuten verschiedene Ausdrücke für denselben Referenten zugleich verschiedene Weisen der Apperzeption, sind also begrifflich unterschie-

---

13. Ebd. S. 93.

den — wohingegen Marty nur voneinander abweichende Weisen figürlicher Rede[14], auch „gewisse Richtungen der Phantasietätigkeit" (S. 100) anerkennt. Die Kontroverse um Humboldts Bewertung der verschiedenen Benennungen des Elefanten im Sanskrit (der ‚Zweizahnige', der ‚Zweimaltrinkende', der ‚mit einer Hand Versehene') verdeutlicht das. „In diesen Fällen haben wir den gleichen Begriff, dieselbe Bedeutung, aber in Begleitung verschiedener innerer Sprachformen. Humboldt aber verwechselt da Bedeutung und innere Sprachform; er selbst ist es, der die gegebenen Beispiele erwähnt. Er sagt: hier werde derselbe Gegenstand gemeint, aber durch verschiedene Begriffe ausgedrückt. Es handelt sich aber da *nicht* um eine verschiedene Klassifikation desselben Gegenstandes durch Subsumierung unter verschiedene Begriffe, sondern nur um verschiedene Bezeichnungsmethoden desselben Begriffes, d.h. derselben Bedeutung mittels innerer Sprachformen" (S. 101).

Die skizzierte Diskussion ist zumal im vorliegenden Zusammenhang insofern von Wichtigkeit, als sie Marty Anlaß gibt, sich zur Relation von Sprache und Lebensform, von Sprachbesitz und Nationalcharakter zu äußern. Seine diesbezügliche Feststellung gewinnt durch ihren Lebenshintergrund, der mit dem des Dichters identisch ist, noch an Bedeutung. Daß Nationalitätenstreit sich wesentlich als Sprachenstreit darstellen kann, ist bekannt. Das Faktum hatte für Marty und Kafka den Rang einer Lebenswirklichkeit. Bezeichnenderweise erwähnt Marty in den „Grundfragen der Sprachphilosophie" anläßlich der Aufzählung von Themen einer von ihm so genannten „praktischen Sprachphilosophie" auch den politischen Sprachenkampf (S. 86). Eben der könnte, stärker noch als entsprechende Überlegungen Humboldts, auf diejenige Formulierung gewirkt haben, die um ihrer Bedeutsamkeit willen zur Gänze wiedergegeben sei: „In den Begriffen, Urteilen und Überzeugungen, die in den Sprachmitteln zum Ausdruck kommen, da liegt die Weltanschauung des Volkes beschlossen, und nur in einem ganz uneigentlichen Sinn kann man auch von der figürlich inneren Sprachform sagen, dass auch sie eine Weltanschauung sei; nämlich nur darum, weil diese innere Sprachform auf eine gewisse Richtung der Phantasietätigkeit hinweist. Dagegen die ernstliche Weltanschauung des Volkes ist niedergelegt in der Bedeutung, nicht in den witzigen Vergleichen und in den Bildern, die sich in der figürlich inneren Sprachform aussprechen" (S. 100)[15].

14. Ebd. S. 84 Anm. 1.

15. Von hierher wird verständlich, daß Adam Schaff Marty (neben Herder, Schelling, Humboldt, Steinthal und Mauthner) unter die Monisten (die eine Verknüpfung von Sprache und Denken behaupten) einreiht: A. S., Sprache und Erkenntnis. Wien, Frankfurt/M., Zürich 1965 (= Geist und Gesellschaft. Texte zum Studium der sozialen Entwicklung), S. 123.

Damit ist eine weitere objektive Entsprechung zwischen dem Theoretiker und dem Dichter gegeben. Kafka hat Tatsache und Wirkungsmacht der sprachlichen Weltansicht leidhaft erfahren. Davon legen nicht wenige werkbegleitende Bemerkungen Zeugnis ab. Daß im beklagten Zustand aber auch die Voraussetzung poetischer Kreativität gesehen werden kann, lehrt der Blick auf das Werk.

Grundsätzlich ist die in Kafkas Texten begegnende Welt als eine Projektion des handelnden Subjekts zu begreifen. Regungen, die als seelische ursprünglich immateriell sind, werden nach außen gekehrt und (im Wortsinne) vergegenständlicht. Nur ein Beispiel: Das bekannte Gefühl einer in Abhängigkeit vom situativen Kontext unterschiedlich schnell vergehenden Zeit (das zu entsprechenden Ausdrücken führt, die Gemeinbesitz sind), findet sich in der Skizze „Eine alltägliche Verwirrung" (E 303) in eine nur vermeintlich paradoxe Episode umgesetzt. An dieser Stelle läßt sich eine weitere potentielle Beziehung zu Martys Denken aufweisen.

Marty handelt darüber[16], daß in den verschiedensten Sprachen nicht selten die Ausdrücke für psychische Regungen aus solchen für physische Vorgänge entstanden sind. Hier liegen die hervorragendsten Argumente für die Rede von der inneren Sprachform bereit. „Fast bei jedem dieser Ausdrücke [denen für seelische Regungen] ist neben der Bedeutung noch ein vom Sinnlichen hergenommenes Bild im Spiele: ‚erschüttert', ‚erbaut', ‚niedergeschmettert', ‚in gehobener Stimmung', ‚schwankend im Urteil', ‚fester Wille', ‚ich begreife', concedo, symbállo; ‚ich bin auf dem Holzweg', ‚weder Kopf noch Fuß haben'; ‚er läßt sich erweichen', ‚er kocht vor Zorn' u.ä.m.

Durch alle diese Ausdrücke sind gewisse psychische Zustände oder gewisse Eigenschaften solcher eigentlich gemeint, aber neben diesen Phänomenen der inneren Welt, welche die Bedeutung jener Ausdrücke bilden, sind uns dabei immer auch Vorstellungen von etwas Physischem gegenwärtig; ja diese werden zunächst erweckt, aber sie sind nicht die *eigentliche* Bedeutung" (S. 92f.). Damit ist die — reziproke — Gestaltungsweise Kafkas beschrieben: Zuerst sind die psychischen Daten vorhanden, und sie werden dann in poetische Gegenständlichkeit transformiert.

Im folgenden ist eines Beitrages Martys zu demjenigen Thema zu gedenken, mit dem sich in Anschluß an den Wittgenstein der „Philosophischen Untersuchungen" die Ordinary Language Philosophy befaßt hat.[17] Die Funktio-

---

16. Über das Verhältnis von Grammatik und Logik, S. 75.
17. Vgl. Gilbert Ryle, Systematisch irreführende Ausdrücke. In: Rüdiger Bubner (Hrsg.), Sprache und Analysis. Texte zur englischen Philosophie der Gegenwart. Göttingen 1968 (= Kleine Vandenhoeck-Reihe. 275 S.), S. 31-62.

en grammatischer Kategorien und syntaktischer Muster sind nicht grundsätzlich eindeutig, insofern in ihnen prinzipiell zu unterscheidende sprachliche Aufgaben nivelliert sein können (PhU § 38). Daraus können Täuschungen des Denkens resultieren, denn die Zusammenfassung unterschiedlicher Funktionen in einen Ausdruck legt die Annahme einer Gleichartigkeit des Gedankens nahe, die faktisch nicht besteht. Irritationen der philosophischen Urteilsbildung sind die Folge.[18] Daß Philosophie Sprachkritik sein muß (Wittgenstein, Tract. 4.0031), um gedankliche Fehler, die von der Sprache nahegelegt sind, zu vermeiden, führt Marty in „Über das Verhältnis von Grammatik und Logik" von 1893 vor. Tritt die innere Form im Bereich der einfachen Namen oder autosemantischen Sprachmittel (und allenfalls im einzelnen synsemantischen Wort) als vorstellungsleitende Größe leicht sichtbar hervor, so wirkt sie doch ebenso in der syntagmatischen Dimension, soweit sie sich in der Wortbildung, der Syntagierung einzelner Wörter oder in der Syntax als ganzer konkretisiert, „kurz bei den Bezeichnungsmitteln, die durch Syntaxe im weitesten Sinn dieses Wortes zustande kommen" (S. 91f.). ‚Syntaxe' meint „Flexion, Prä- und Suffigierung" oder eine Zusammenfügung, „welche nicht die einfache Summe der Bedeutungen der Elemente bildet, und wo eine Weise des Bedeutens auftritt, die keine selbständige, sondern ein bloßes Mitbedeuten ist" (ebd.).

Innere Form und Bedeutung sind scharf zu trennen. Hält sich der Denker diese Notwendigkeit nicht ständig bewußt, läuft er Gefahr, sich durch die Form des Ausdrucks über die Form des Gedankens täuschen und eine Identität suggerieren zu lassen, die nicht besteht, sondern lediglich vom Ausdruck vorgespiegelt wird.[19] Der Gebrauch, der e.g. von Genitiv und Dativ gemacht werden kann, zeigt: Die Sprache kann nicht mit dem Maßstab der Logik gemessen werden, da „manche unserer Namen und syntaktischen Wendungen äquivok sind und je nach Umständen bald diesen, bald jenen Gedanken bedeuten" (S. 61).[20]

Die Erzählung „Der Ausflug ins Gebirge" (E 12) handelt von dem Wunsch des Erzählers, einen Ausflug mit lauter Niemand zu unternehmen, und imaginiert das voraussichtliche Verhalten dieser Niemand-Personen, die im 14 Zei-

---

18. Festzustellen, ob eine Linie von Marty zur Wiener Schule läuft, wäre Aufgabe einer philosophiegeschichtlichen Untersuchung.
19. Wittgenstein, Tractatus 4.002: „Die Sprache verkleidet den Gedanken."
20. Über das Verhältnis von Grammatik und Logik S. 61. Vgl. ebd. Anm. 2, ferner ebd. S. 63, Anm. 1: „Zu den Dysteleologien, auf die man sich zugunsten des unlogischen Charakters der Sprache berufen mag, rechne ich natürlich grammatische Kategorien wie das Genus der Substantive (den Ausfluß einer primitiven, vitalistischen Weltanschauung und daran anknüpfender bildlicher Personifikation der Gegenstände) [...]. Vgl. dazu H 59 („Ohnmacht").

len zählenden Text zehnmal begegnen. Ausgangspunkt bildet die normalsprachliche Feststellung: „Wenn niemand kommt, dann kommt eben niemand." Und wenn niemand kommt oder gar mehrere so Genannte, könnte man leicht auf die Ideen eines Ausfluges verfallen „[W]enn man [...] auf die falsche Voraussetzung von einem durchgängigen und notwendigen *Parallelismus* zwischen Denken und Sprechen eine ‚logisch' sein sollende Grammatik zu bauen versuchte, so muß dies als eine Vergewaltigung der Sprache zurückgewiesen werden."[21] Ausdruck solcher Vergewaltigung wäre ein Urteil, das von dem „Dogma" bestimmt ist, jedes Urteil sei zweigliedrig, jede Aussage müsse Subjekt und Prädikat haben.[22]

Kafkas Erzählung ist derjenige Text, von dem gesagt werden kann, daß Sprache nicht nur als mit steuernde Instanz in seine Organisation eingeht, sondern, wenn auch latent bleibend, sein Thema bildet. Die Erzählung ist das Resultat eines übermütigen Sprachspaßes dessen, der innere Form und Bedeutung vorsätzlich verwechselt. Wenn Marty sagt, die erwähnte Gewalttätigkeit sei „häufig zugleich eine Verpfuschung der Logik" gewesen, „indem man, was nur Sache einer besonderen Form des Ausdrucks war, in den Gedanken hineintrug"[23], so simuliert Kafkas frühe Erzählung das bezeichnete Mißverstehen zum Zwecke der Sprachparodie und Sprachkritik. Indem sie die Durchgängigkeit der Zweigeteiltheit von Urteilen vorgibt, parodiert sie die der idg. Syntax eigentümliche Täter-Hypostasierung, in deren Gefolge die zunächst bloß formale Satzposition des Subjektes schon vor ihrer sprachlichen Konkretisierung vorrangig mit den semantischen Merkmalen ‚menschlich' und ‚handelnd' besetzt ist. Kafkas Text nimmt dies scheinbar ernst und personalisiert ein Grammaticale, auch wo dem Gedanken nach kein Subjekt vorhanden ist. Insofern läßt die Probe auch an die seit 1884 entstandenen Arbeiten „Über subjektlose Sätze und das Verhältnis der Grammatik zu Logik und Psychologie" denken, wenn auch der Beleg, von dem hier ausgegangen wurde, den Fall der subjektlosen Sätze nicht erfüllt (Typ: Es regnet). Subjektlosigkeit im weiteren Sinne kennzeichnet jedoch auch Sätze, die vom Indefinitivprogramm dominiert sind.[23]

Im gegebenen Zusammenhang ist das Entstehungsdatum der Erzählung[24] von Interesse, denn es bezeugt die früh einsetzende und poetisch relevant werdende Reflexion der Sprache durch Kafka.

---

21. Ebd. S. 62.
22. Ebd. S. 95.
23. Ebd. S. 62, Anm. 1.
24. Vgl. Malcolm Pasley/Klaus Wagenbach, Datierung sämtlicher Texte Franz Kafkas. In: Jürgen Born u.a., Kafka-Symposion. Berlin 1966², S. 55-73, S. 81.

Kafka las Lindners „Lehrbuch der Psychologie"[1] in der letzten Klasse des Gynmasiums. Das Buch bildete die Grundlage des Psychologie-Unterrichts, der Teil der philosophischen Propädeutik war.[2]

Nach den drei psychischen Grundfunktionen Empfinden, Fühlen und Begehren bestimmt Lindner die Erscheinungsformen des Erkennens, Fühlens und Begehrens als die drei Untersuchungsgebiete der Psychologie. Deren erstes untergliedert der Autor in Empfindung, Wahrnehmung und Vorstellungen: Neben Erinnerungs- und Phantasievorstellungen sowie dem Selbstbewußtsein werden die Denkvorstellungen genannt. Hierunter behandelt Lindner die Stichworte ‚Begriff' (§ 43), ‚Sprechen und Denken' (§ 44) und ‚Entstehung und Entwicklung der Sprache' (§ 45).

Im Unterschied zum Monismus Martys vertritt Lindner eine nomenklatorische Sprachauffassung. Der Begriff wird als klare, dem Gegenstand entsprechende Vorstellung verstanden, die mit einem sinnlichen Zeichen verknüpft gedacht wird (S. 110). Das Wort ist demnach nur „Zeichen des Begriffes" (S. 111). Mit der Bemerkung, daß die Fixierung der Vorstellung durch ein Wort einen Vorstellungsinhalt „allen Schwankungen des Bewußtseins entrückt" (S. 109), billigt Lindner dem sprachlichen Ausdruck zwar eine Unterstützungs- und Stabilisierungsfunktion beim Denken zu. Das darf aber nicht übersehen lassen, daß nach der Vorstellung des Autors gedankliche Operationen sprachfrei erfolgen. Die Möglichkeit erscheint nicht, daß vorhandene Sprache auf die Herausarbeitung einer begrifflichen Vorstellung wirkt. Vorstellungen werden lediglich *benannt*, sobald sie die notwendige Klarheit erlangt haben.

Zur Entstehung und Entwicklung der Sprache äußert sich Lindner eindeutig. Er plädiert für die These, Sprache sei natürlich entstanden. (1) Interjektionen (Lautreflexe) sind Teil der menschlichen Eigentümlichkeit, seelische Regungen durch körperliche Begleiterscheinungen sinnfällig zu machen. Diese ursprünglich unwillkürlichen Bekundungen werden in dem Augenblick zu Zeichen, da sie ein Außenstehender bemerkt und als Symptom auffaßt. (2) Weiterhin führt Lindner die nicht wenigen nachahmenden (onomatopoietischen) Sprachelemente an. (3) Argument für die Annahme der natürlichen Sprachentwicklung sollen ferner die Übertragungen (Metaphern) sein. Es wird der häufige Vorgang genannt, daß Wörter ihre metaphorische Qualität

---

1. Lehrbuch der Psychologie. Für den Gebrauch an höheren Lehranstalten und zum Selbstunterricht. Mit Benützung von weiland Dr. G.A. Lindner's Lehrbuch der empirischen Psychologie verfaßt von Prof. Dr. G.A. Lindner und Prof. Dr. Franz Lukas. Wien 1900[3].
2. Kafka-Hb. Bd. 1, S. 207f.

vergessen lassen, nachdem sie in andere semantische Gefüge eingetreten sind. Lindners Beispiel ist der von den Römern nach seiner weißen Toga „candidatus" genannte Bewerber um ein öffentliches Amt. „Der Name ist geblieben, aber bei der Anwendung desselben denkt niemand mehr an die ursprüngliche Bedeutung" (S. 113, A. 1). (4) Über den natürlichen Ursprung der Sprache dürfen diejenigen Wörter nicht hinwegtäuschen, die infolge des Lautwandels eine Form angenommen haben, die den sinnlichen Zusammenhang mit dem Bezeichneten nicht mehr erkennen läßt. Nur scheinbar deuten diese Zeichen auf konventionellen Ursprung.

Anläßlich der Veränderungen, die eine Sprache durch Lautwandel und Wortbildung (durch Ableitung, Zusammensetzung, Analogie, Isolation) erfahren hat, erwähnt Lindner die zahlreichen Ausdrücke der Araber für ‚Kamel‘, ‚Pferd‘ und ‚Löwe‘ (S. 114, A. 1), die er mechanistisch und nicht idealistisch erklärt. Die markante Wortfülle ist ihm nicht Ausdruck einer lebensformbedingten sprachlichen Weltsicht, sondern Resultat jener auf verschiedenen Stufen je anderen Sprachentwicklungsprozeduren.

Auf Lindners sprachthematisierende Äußerungen kurz einzugehen liegt in der Konsequenz einer Studie, die nach einschlägigen Schriften fragt, die in Kafkas Gesichtskreis gerieten. Lindners Bemerkungen dürften, sieht man von den spärlichen Ausführungen zur Metaphorik ab, für den Dichter unerheblich gewesen sein.

§ 6. Der Talmud.

Wenn im folgenden einiges über den Talmud als dichterische Einbildungskraft ausgeführt wird, so ist damit nicht beabsichtigt, etwaigen stofflichen Anregungen für Kafka nachzuspüren. Wie alle in Teil I behandelten biographischen und bildungsbiographischen Daten interessiert er als mögliches Formans Kafkaschen Sprachdenkens. In welchem Maße könnte er dazu beigetragen haben, Kafkas Sprachbewußtsein überhaupt wie seine Aufmerksamkeit für den Bedingungscharakter von Sprache zu entfalten? Der Talmud als sprachliches Ereignis, nicht als das Reglement für Leben, Kultus und Gesetzessphäre ist Thema.

Daß ein nicht zu übersehender Zusammenhang zwischen der Berufung zum Sprachforscher und dessen jüdischer Herkunft besteht, weiß, wer sich auch nur flüchtig mit der Geschichte der Sprachwissenschaft und Metalinguistik beschäftigt hat. Die berühmtesten Namen sind die von Sprachforschern jüdischer Provenienz: Lazarus Geiger, Haim Steinthal, Fritz Mauthner, Franz

Boas, Edward Sapir, Ludwig Wittgenstein und Noam Chomsky. Gershom Scholem berichtet von einer Diskussion mit Walter Benjamin über die These, „ob die besondere Bindung der Juden an die Sprachwelt von ihrer jahrtausende langen Beschäftigung mit heiligen Texten" herrühre, daher, daß die Offenbarung eine sprachliche Grundtatsache sei, auf die ständig reflektiert wurde und wird.[1] In diesem Zusammenhang muß die Erinnerung Max Rychners an eine briefliche Äußerung Benjamins nachdenklich stimmen, „daß wir nie anders forschen können als in einem theologischen Sinn. Und er hat noch hinzugefügt [...], das sei so gemäß der talmudischen Lehre von den 49 Sinnstufen jeder Thorastelle."[2] Benjamin gibt damit einen Hinweis, der, so vage und knapp er auch ist, vermutungsweise nach dem möglichen Anregungswert fragen läßt, den der Talmud als sprachliches Ereignis für den Dichter gehabt haben könnte.

Nach Binder beschäftigte sich Kafka erst in seiner späten Zeit mit dem Werk.[3] Er erwähnt eine deutschsprachige Talmud-Anthologie, die der Dichter „in den letzten Lebensjahren eifrig studierte"[4]; den „Traktat Berachot" las er in der zweisprachigen Ausgabe von E.M. Pinner.[5] Dazu stimmt, daß der Ende 1922 entstandenen Erzählung „Gibs auf!" (E 358) in der Handschrift der Entwurf eines Briefes an Franz Werfel vorausgeht, in dessen letztem Satz der „Raschi-Kommentar", der wichtigste frühmittelalterliche Talmud-Kommentar, Erwähnung findet. Bezeichnenderweise trägt die Erzählung ursprünglich den Titel „Ein Kommentar".[6]

Trotz der voranstehenden Daten darf davon ausgegangen werden, daß Talmudisches dem Dichter schon früher nicht nur bekannt, sondern geläufig war. Erste greifbare Bekundungen konkretisieren sich um das von Kafka seit Oktober 1911 beachtete Wirken ostjüdischer Schauspieler in Prag, von dem gesagt werden muß, daß es für ihn „Epoche" gemacht habe, denn es lenkte seine Aufmerksamkeit erstmals verstärkt auf jüdische Dinge. Am 6.10.1911 notiert er den „Wunsch", „ein großes jiddisches Theater zu sehn", auch den „Wunsch,

---

1. Gershom Scholem, Walter Benjamin — Die Geschichte einer Freundschaft. Frankfurt/M. 1975 (= Bibliothek Suhrkamp. Bd. 467), S. 136. — Adorno vermutet einen Zusammenhang zwischen dem „Prinzip der Wortwörtlichkeit" und der „Erinnerung an die Thora-Exegese der jüdischen Tradition": Th. W. A., Aufzeichnungen zu Kafka. In: Die Neue Rundschau 64, 1953, 3, S. 325-353, S. 328.

2. Über Walter Benjamin. Mit Beiträgen von Theodor W. Adorno u.a. Frankfurt/M. 1968 (= edition suhrkamp. 250), S. 27.

3. Kafka-Hb Bd. 1, S. 497.

4. Ebd. S. 574.

5. Hartmut Binder, Kafka-Kommentar zu sämtlichen Erzählungen. München 1975, S. 298.

6. Malcolm Pasley/Klaus Wagenbach, Datierung sämtlicher Texte Franz Kafkas S. 55-83, S. 74.

die jiddische Literatur zu kennen", deren von ihm vermutete permanente „nationale Kampfstellung" ihn bewegt (T 88).[7] In demselben Tenor begeisterter Hingerissenheit erwähnt er für den 1.11.1911 (T 132) die Lektüre von Graetz' „Geschichte des Judentums", die er „gierig und glücklich zu lesen angefangen". Am 24.11. besuchte er das Schauspiel „Schhite" von Gordin, in dem Talmud-Zitate vorkommen, deren zwei er ausführlich festhält (T 173). Der über seine Zukunft grübelnde Junggeselle hält sich das Talmud-Wort „Ein Mann ohne Weib ist kein Mensch" vor (T 174). Am 26.11.1911 (T 177) notiert sich Kafka eine gerade für nicht Verheiratete gedachte Lebensregel aus dem Talmud. Wenn ein Gelehrter auf Brautschau gehe, solle er einen Amohorez: einen Ungebildeten, einen Mann vom Lande, mitnehmen, der des Gelehrten Weltfremdheit ausgleichen und auf alles Notwendige achten werde.

Es war unter den Schauspielern insbesondere Jizchak Löwy, der Talmudisches wenn nicht zuerst an Kafka herantrug, so doch sein Wissen bereicherte oder erneuerte. Löwy, den Kafka zuerst am 14.10.1911 erwähnt (T 98), erzählte verschiedentlich Episoden aus dem Talmud, die Kafka nachher im Tagebuch festhielt (T 128 vom 29.10.1911 und T 170f. vom 21.11.191), und auch die ausführliche und detailreiche Schilderung von Talmud-Hochschulen (Jeschiwes) in jüdischen Gemeinden Polens und Rußlands (T 236-240) erfolgte nach einem Bericht Löwys. Daß Kafka einen Vortragsabend dieses Mannes im Festsaal des jüdischen Rathauses am 18.2.1911 mit einem Vortrag über den Jargon („Rede über die jiddische Sprache", H 421ff.) einleitete (T 250 vom 25.2.1912), bedeutete eine Huldigung an den Gesprächspartner, der ihm in vielen Unterredungen die Welt des Ostjudentums nahegebracht hatte. Daß ihm Kafka die Kenntnis des Talmuds verdankte, dies zu behaupten sollte man dennoch zögern.

Denn der Talmud wird Kafka schon vorher bekannt gewesen sein. Nur unter der Voraussetzung einer genauen Vorstellung von der eigentümlichen sprachlichen Gestalt des Werkes konnte er, immer im Blick auf die Darbietungen der ostjüdischen Schauspielertruppe im Café Savoy (erste Erwähnung am 5.10.1911), Urteile abgeben wie das über die „Herrenimitatorin": Von der talmudischen Weise zu erklären spricht er (T 88), auch von der „talmudische[n] Melodie genauer Fragen, Beschwörungen oderErklärungen" (T 82). Das sind, wie im Vorgriff auf Kafkas Texte gesagt werden kann, Elemente zu deren Beschreibung.

Das Bild vom Talmudisten wurde mehrfach, nicht zuletzt von Kafka selbst, bemüht, um seine Haltung bei Diskussionen zu kennzeichnen. Max Brod

7. Im Januar 1912 (T 242) las Kafka die „Histoire de la Littérature Judéo-Allemande" (Paris 1911) von M. Pines. — Im Sept./Okt. 1917 entstand „Vom jüdischen Theater" (H 145).

spricht in Erinnerung an den entschiedenen Sinn Kafkas für Sprache, der ihn in den Wörtern nicht nur das Namensschild, sondern — streng monistisch — die autonome Größe sehen ließ, vom „ungestümen Eifer fanatischer Talmudisten".[8] Unter dem Eindruck der ostjüdischen Schauspieler erinnert sich Kafka daran (T 222 vom 30.12.1911), in der Gymnasialzeit öfter mit Hugo Bergmann in einer talmudischen Weise über Gott disputiert zu haben. Zum Zeitpunkt der Niederschrift war ihm nicht mehr erinnerlich, ob er die Manier seinerzeit in sich vorfand oder Bergmann kopierte. „Die Manier in sich vorfand": Erneut wird das Bedenkliche der Einflußforschung sichtbar; zugleich ist vor dem Mythos der Ursprünglichkeit zu warnen. Den Sachverhalt dürfte eine verbindende Sehweise am ehesten treffen. Eine vorhandene Disposition wurde im geeigneten Kontext zur „talmudischen" Frage- und Sprechweise. Immerhin kann man auf etwas wie eine talmudische Familientradition hinweisen. Kafkas Urgroßvater (von der Mutter) war Tuchhändler, der sich als Rabbiner jedoch lieber dem Talmud zuwandte und darüber sein Geschäft vernachlässigte.[9]

Dem sprachlichen Aspekt des Talmuds gilt das Augenmerk dieser Ausführungen. Erwägungen zum Erzählinhalt sind nicht beabsichtigt. Anderenfalls würde man z.b. auf „Zur Frage der Gesetze" (E 314) hinweisen, worin der Reflex eines Wissens um den Talmud erkannt werden könnte. Der Aufmerksamkeit weist Theo Elm mit seinem Hinweis den Weg, die Kommentierung der Türhüter-Legende folge dem Text wie Talmud-Exegesen,[10] ebenso Jost Schillemeits Bemerkung, „Von den Gleichnissen" (E 359) zeige von der Anlage her auf „ähnliche Gespräche in den Chassidischen Erzählungen und auf talmudische Disputationsformen zurück".[11]

Das Auseinandertreten des Talmuds in Haggada, ausschmückende bzw. exemplifizierende Erzählungen, und Halacha, religiöse Anweisungen für Leben, Kultus und Rechtswesen, hat sein Pendant in den Kafkaschen Erzählwerken, die diskursive neben narrativen Partien aufweisen. Die nicht wenigen Lehrgespräche in den beiden späteren Romanen, die in den Erzählvorgang eingefügt sind, lassen das Erzählte in die Funktionsstelle von bloßen Exem-

8. Binder, Kafka-Hg. Bd. 1, S. 308.
9. Ebd. S. 125; Wagenbach, Jugendbiographie S. 21. — Möglicherweise kann noch Kafkas „Verlegenheit vor dem Aufschreiben von Namen" (T 283) als ein später Reflex talmudischen Denkens begriffen werden. Gershom Scholem (Der Name Gottes und die Sprachtheorie der Kabbala. In: Die Neue Rundschau 83, 1972, S. 470-495) spricht von der „absolute[n] Ehrfurcht, mit der alles umgeben wird, was diesen Namen [sc. Gottes] [...] angeht" (474), was schließlich dazu führt, daß er zwar „angesprochen, aber nicht mehr ausgesprochen werden" kann (474f.).
10. Theo Elm, Der Prozeß. Kafka-Hb., Bd. 2, S. 420-441, S. 429.
11. Jost Schillemeit, Die Erzählungen. Die Spätzeit. Kafka-Hb. Bd. 2, S. 389.

peln rücken. Dieser Sachverhalt wird einmal romanimmanent („Der Prozeß")
im Nebeneinander von Türhüter-Legende und deren Exegese explizit.
Insbesondere der sich im Talmud manifestierende sprachliche Prozeß erinnert an Kafkas Dichten. Im Talmud, wie er heute vorliegt, bildet sich eine tau-
sendjährige Disputation ab, die um die zutreffende Textauslegung kreist. Dia-
logik und Permanenz sind die Kennzeichen dieser Exegese. (An Benjamins Erwähnung der 49 Sinnstufen jeder Thorastelle ist zu erinnern.) Unübersehbar
tritt damit sprachliche Arbeit als Bedingung der Aussage in den Vordergrund.
Deutungsversionen werden aufgereiht, Gesagtes neben Gesagtes gestellt. Für
den sprachlich sensibilisierten Leser wird Deutung tendenziell zum Akt begrifflich verfaßten Mutmaßens und Meinens, werden generell theologische
Probleme zu sprachlichen (es wird bezeugt, geschrieben; es heißt von etwas,
daß (...); jemand lehrt, jemand sagt). Deutung wird im Wortsinne zur Sage.
Das Prinzip der Redeweise Kafkas scheint hierin vorausgenommen.

Talmud im weiteren Sinne ist zeitlich unbegrenzte Kommentierung. Schon
der Talmud im eigentlichen Sinn, bestehend aus Mischna und Gemara, bildet
den kommentierenden Charakter in sich ab: Die Mischna, der ältere Bestandteil, ist die Sammlung der Lehren, die die Rabbinen bis zum 2. nachchristli-
chen Jahrhundert formulierten. Sie wird umschlossen von der ungleich um-
fänglicheren Gemara, die die auf der Mischna fußenden Kommentare der Rabbinen des 3. bis 5. Jahrhunderts enthält. Talmud ist demnach eo ipso Relativierung und Infragestellung. Ergänzt ist er durch Kommentare. Das Prinzip der
Relativierung wird durch sie (mehrfach) potenziert. An den Kommentar des
Raschi aus dem 5. Jahrhundert schließen sich im späteren Mittelalter weitere
Zusätze (Tosaphot). Daneben können Kommentare ältester Tradition einher-
laufen. Ihren schönsten Ausdruck findet diese Permanenz der kommentierenden Relativierung und Aufhebung (die sogleich an Kafkas Schreibweise denken läßt) in den Talmud-Handschriften, in denen die Stufung des exegetischen
Prozesses sinnfällig wird. Es ist nicht abwegig, hierin im Nachhinein graphi-
sche Metaphern Kafkaschen Schreibens zu sehen.[12]

---

12. Zum Talmud: Der babylonische Talmud. Ausgewählt, übersetzt und erklärt von Reinhold
Mayer. München 1963⁴. — Eli L. Berkovits, Was ist der Talmud. Frankfurt/M. 1963. — Hermann
L. Strack, Einleitung in Talmud und Midrasch. München 1976⁶ (= Beck'sche Elementarbücher).

Valéry hat das nur mit Mühe zu versprachlichende Sujet zum eigentlichen Gegenstand der Poesie erklärt.[1] So besehen, bedeutet der Kampf des Mystikers um die Verprachlichung eines religiösen Erlebnisses *die* poetische Ur-Situation. Mystische Literatur muß deshalb jeden tief berühren, der mit den eigentümlichen Problemen des Mediums befaßt ist; sie muß dem Poeten Spiegel seiner selbst sein.

Das mit sprachlicher Kategorialität und Konventionalität gegebene Problem erlebt der Mystiker exemplarisch. Im angedeuteten Konflikt schneiden sich Sprachhandlungsweisen, deren Intentionen grundverschieden sind. Hier begegnen sich der sich um das „Worten" des Numinosen mühende Mystiker und der positivistisch eingestellte Beobachter, der einen gegen Null strebenden unverwechselbaren Augenblick und eine optische Nuance versprachlichen will. Es bezeichnet die Identität des Problems, daß Mauthner (in Fortführung Humboldts) „Beiträge zu einer Kritik der Sprache" schrieb und Gustav Landauer „Versuche im Anschluß an Mauthners Sprachkritik" unter dem Titel „Skepsis und Mystik" (1903) vorlegen konnte.

Die besondere Affinität zum literarischen Werk des Mystikers mußte empfinden, wer dazu disponiert war, tradierte und begrifflich fixierte Sinnhorizonte zu transzendieren. Von seiner Eckhart-Lektüre berichtet Kafka früh (9. 11. 1903): „Ich lese Fechner, Eckehart." (B 20). (Das Komma ist nicht explikativ, sondern additiv. Unvorgreifliche Vermutungen zum Stichwort ‚Fechner' werden unten vorgetragen). Daß die Lektüre einen nicht unerheblichen Wert besessen hat, könnte der folgende Satz vermuten lassen: „Manches Buch wirkt wie ein Schlüssel zu fremden Sälen des eigenen Schlosses" (ebd.). Das ist der einzige explizite Beleg für Kafkas Beschäftigung mit dem Mystiker. Über inhaltliche Berührungen wurden Mutmaßungen angestellt.[2] In einem Zusammenhang, in dem der sprachkritische Bewußtseinsstand des Autors erhoben werden soll, brauchen diese (das Argument allerdings flankierenden) Hinweise nicht zu interessieren. Die Frage nach dem sprachkritischen Potential der Texte legt die Thematisierung ihrer Ausdrucksebene nahe. Da es um das Verfahrensprinzip geht, genügt das Wissen, *daß* Kafka Meister Eckhart gelesen hat.

Es macht das mystische Paradox aus, eine sich der Begegnung mit dem Göttlichen verdankende Erfahrung sagen zu wollen und zugleich nicht sagen

---

1. Robinson 2, 1085 suiv.
2. Zu „Forschungen eines Hundes" hat Pasley auf Parallelen in den Predigten Eckharts hingewiesen. Nach: Schillemeit, Kafka-Hb. Bd. 2, S. 388.

zu können und dennoch den Versuch, dieser Aporie entgegenzuwirken, ständig zu erneuern. Die Not, mystische Unio zu verbalisieren, führt keineswegs zwangsläufig zu einer „Feindschaft [des Mystikers] gegen die Sprache."[3] Er wußte nicht nur um sein unabdingbares Angewiesensein auf das Medium, er anerkannte auch dessen Leistung. Seine Einsicht in den Bedingungscharakter der Sprache begründet einmal mehr das Wort, mystisches Schreiben indiziere die poetische Ursituation. Des Mystikers widersprüchliche Wertungen des Mediums sind nicht Ausdruck antinomischer Sehweisen; in ihnen entfaltet sich die bekannte Dialektik sprachlicher Wirkung (s.o.S. 10f.). Ein differenziertes Sprachbewußtsein, das Leistung und Grenze des Mediums abzuwägen weiß und von dem gesagt wurde, es sei für den genuinen Sprachkünstler exemplarisch, ist für Eckhart kennzeichnend.[4] Dabei hängt es für ihn von der Intensität religiösen Erlebens ab, bis zu welchem Grad der Annäherung die sprachliche Erfassung des definitiv unwortbar Bleibenden gelingt.[5]

Daß Kafkas Werk im Zusammenhang mystischer Literatur seinen Platz hat, zeigt ein Blick auf seine besondere Sageweise; in ihr kehren signifikante Züge desjenigen Versprachlichungsversuchs wieder, der auch Eckharts Texte auszeichnet. In seinen Predigten wird der Anteil der Sprache an der religiösen Bewußtseinsbildung ständig ausdrücklich. Daß die vorgetragenen Auffassungen *gesagte* Auffassungen sind, insofern sie aus Sprachhandlungen resultieren, verdeutlicht die Häufigkeit, mit der Verben aus dem Sinnbezirk des Sagens und Meinens verwendet werden. Mystische Deutung umkreist prinzipiell endlos eine unsagbare Mitte; darin besteht ihre Eigentümlichkeit. „[S]waz wir von götlîchen dingen reden, daz müezen wir stameln, wan man muoz im wort geben."[6] So sind die unterschiedlichen Ausprägungen uneigentlichen Sagens bedingt. Nominal- und Adjektivabstrakta, Definitionen ex negativo, Vergleiche, Allegorien sowie die Reihung von funktionsgleichen Satzteilen sind — neben den schon erwähnten expliziten Bekundungen der Sprachlichkeit — als die hauptsächlichen Erscheinungsformen des Eckhartschen Sprechens zugleich Kennzeichen der Texte Kafkas.

3. Leo Weisgerber, Die Muttersprache im Aufbau unserer Kultur. Düsseldorf 1957² (= Von den Kräften der deutschen Sprache. 3), S. 173.

4. Meister Eckhart. 1. Abteilung. In: Franz Pfeiffer (Hrsg.) Deutsche Mystiker des 14. Jahrhunderts. Bd. 2. Leipzig 1857, S. 77, 9ff.

5. Meister Eckhart, Die deutschen und lateinischen Werke. Hrsg. im Auftrag der deutschen Forschungsgemeinschaft. Die deutschen Werke. Hrsg. und übersetzt von Josef Quint. 1. Bd. : Predigten. Stuttgart 1958, S. 66.

6. Ebd. S. 291, 5 f.

Des Dichters anerkennende Äußerung („Manches Buch wirkt wie ein Schlüssel zu fremden Sälen des eigenen Schlosses") reizt zu einer Erörterung, die doch nur spekulativ bleiben kann. Zum einen läßt die Bemerkung offen, welchem Namen sie gilt, zum anderen birgt sie weitere Unbekannte. Deutende Bemerkungen sind nur im Bewußtsein ihrer Unvorgreiflichkeit erlaubt. Es sei angenommen, der Satz beziehe sich auf Eckhart: Kafka prägt eine Art etymologische Figur (Schlüssel-Schloß); einer, der sich eingeschlossen fühlte, verdankt der Lektüre ein befreiendes Erlebnis. Man könnte das auf das Sprachproblem übertragen: Der an der Sprache Krankende lernt einen Vorgänger kennen, der ihm vorführt, wie man seine Not wenn nicht beheben, so doch kreativ werden lassen kann.

Kafkas briefliche Äußerung stammt aus dem November 1903. Im Jahre 1903 erschien Gustav Landauers „Skepsis und Mystik. Versuche im Anschluß an Mauthners Sprachkritik". Es gibt Gründe für die Vermutung, Kafka sei durch dieses Werk auf den altdeutschen Mystiker aufmerksam geworden, doch ist der Beweis dafür nicht schlüssig zu führen.[7] Aus dem Werk Eckharts, der auf zwölf Seiten erwähnt und teilweise ausführlich zitiert wird[8], bezieht Landauer Argumente für seine Vorstellung von der Einzelseele als integralem Bestandteil der Weltseele. Landauer verwirft die Vorstellung eines sich gegen die Außenwelt abgrenzenden Individuums und geht stattdessen davon aus, daß die einzelmenschliche Existenz lediglich Ekstase oder Durchgangspunkt des zeitlosen Menschheitskontinuums ist. (Auch bemüht er das Bild vom Glied in einer unendlichen Kette). Zum Beweis nennt er die „paläontologischen Reliquien" (S. 34), die jeder in sich trage, die aber nur gewahre, wer über das zweite Gesicht verfügt. Es sei dahingestellt, ob es bloße Spekulation ist, an diesem Punkte an die atavistische Handmißbildung der Advokatendienerin Leni zu denken, die als ein verkürzter Hinweis auf die phylogenetische Dimension im Menschen gewertet werden kann. Es stimmt desweiteren nachdenklich, daß Landauer im Zusammenhang seiner Rede vom paläontologischen Restbestand Schopenhauers Etymologie von „Wirklichkeit" erinnert und umkehrt, um seinen Gedanken der (historischen) Einheit alles Lebens zu stützen: „[A]lle Wirksamkeit ist wirklich, wirklich sind die großen Gemeinschaften und Zusammenhänge, und was wirklich ist [...] das ist auch gegenwärtig und momentan." (S. 32f.). (Daß hiermit das späterhin zur Authentizität eines Beleges in Ja-

---

7. Der Name Landauer begegnet in sehr viel späteren werkbegleitenden Dokumenten (M 127, B 275); die Art der Erwähnung deutet auf eine Vertrautheit mit Werken von ihm (vgl. Kafka-Hb. Bd 1, S. 566). Kafka lernte Landauer noch vor dem 1. Weltkrieg in Berlin kennen (ebd.S. 408): Diese Daten spielen für das Problem jedoch keine Rolle.

8. S. 1f., 19-21, 26, 40, 97, 101, 102-104, 154.

nouchs Gesprächsaufzeichnungen Gesagte nicht durchkreuzt, sondern allenfalls bekräftigt wird, bedarf kaum der Erwähnung.) Das Eingeständnis der Unmöglichkeit, „Pantheismus und kritische Erkenntnistheorie in Harmonie zu bringen" (S. 103), macht Eckhart für Landauer zum größten mystischen Skeptiker (S. 102). „Selten hat einer so schön und wahrhaft um das Unaussprechliche herumgesprochen wie Meister Eckhart" (S. 104). Sollte Kafka „Skepsis und Mystik" gelesen haben, müßte ihn dieser Satz besonders beeindruckt haben — legt doch gleich seine erste, im weiteren Sinne briefliche Äußerung von seiner Einsicht in die mangelhafte Fähigkeit der Sprache, zu „erinnern", Zeugnis ab (B 9).

Im Kafka-Handbuch wird Fechner, der neben Meister Eckhart im Brief vom 9. 11. 1903 Genannte, als Begründer der psychologischen Ästhetik vorgestellt. In notgedrungen allgemein gehaltener Formulierung ist von der „Lektüre von Schriften" Fechners die Rede. Konkreter äußert sich Wagenbach. Er sieht die Fechner-Lektüre in Verbindung mit der Psychologie Brentanos, der mit seiner Aufteilung psychischer Phänomene in drei Klassen (vgl. S. 28) Fechners psychophysischer Erfassung von Empfindungen entgegentrat.[9]

. Nicht gewagter als dieser erscheint ein anderer Vorschlag, der sich daraus ergibt, daß Kafka Fechner mit Eckhart in einem Atemzug nennt und daran „zeugmatisch" ein Urteil anschließt, das nicht denkbar wäre, meinte der Dichter, wie von Wagenbach vermutet, Fechner, den Kontrahenten des Brentanismus. Meinen könnte Kafka Fechners „Zend Avesta. Gedanken über die Dinge des Himmels und des Jenseits vom Standpunkte der Naturbetrachtung" von 1851, das um die Jahrhundertwende bei Leopold Voß neu erschien[10]. Fechner, dessen Werk noch einmal in verkürzter Form 1922 in der Reihe „Der Dom. Bücher deutscher Mystik" des Insel-Verlages vorgelegt wurde, stuft der Herausgeber Max Fischer als Geistesverwandten von Meister Eckhart, Paracelsus und Jakob Böhme ein. Fechner spekuliert in seiner Schrift über die Erdseele, in welcher höheren Einheit alles Materielle und Geistige versammelt gedacht wird. Von inhaltlichen Erwägungen abgesehen, die im Zeitalter des naturwissenschaftlichen Denkens zumindest als eigenwillig angesehen werden müssen, könnte allein das Faktum des mystischen Textes im vorliegenden Zusamenhang relevant sein, wenn auch eine ungleich engere Affinität zwischen den Erscheinungsbildern Eckhartscher und Kafkascher Texte besteht. Zu sagen, Fechners Lehre verdanke sich „ ,sprachmystischen' Analogiesetzungen" (Otto Lorenz), überfordert jedoch die Rolle der Sprache in die-

9. Kafka-Hb. Bd 1, S. 208; Wagenbach, Jugendbiographie S. 111f. — Über Fechner informiert: J. E. Kunke, Gustav Theodor Fechner (Dr. Mises). Ein deutsches Gelehrtenleben. Leipzig 1892.
10. Hrsg. von Kurd Lasswitz. 2 Bde. Hamburg 1901².

sem Buch, in dem sie nie Thema wird. Sprache bleibt peripher, wird am Rande um einer erhellenden Erläuterung willen bemüht — so, wenn Menschen und Tiere mit den (Haupt-)wörtern, die Erde dagegen mit der ganzen Rede verglichen (S. 10) oder die Entstehung der Organismen aus der Erde nach Maßgabe der Wortwurzeln und ihrer Rolle für die Sprache begriffen wird (S. 67f.).

Man kann nicht auf den Vertreter der altdeutschen Mystik eingehen, ohne zugleich die Frage zu stellen, ob es nicht näherliege, über Beziehungen des Dichters zum Chassidismus nachzudenken[11]. Denn Kafka kannte spätestens seit 1912 Bubers „Geschichte des Rabbi Nachman" (Frankfurt/M. 1906) und „Die Legende des Baal Schem" (ebd. 1908)[12].

Über motivliche Anleihen sind immerhin Vermutungen möglich; so besteht eine objektive Beziehung zwischen der Bildlichkeit in Rabbi Nachmans Gleichnis „Weltschauen"[13] und „Vor dem Gesetz" (E 131). Es besteht aber kein Grund zu der Annahme, im „Rabbi Nachman" sei Kafka, wie dies für seine Eckhart-Lektüre zutrifft, auf Texte gestossen, die aufgrund ihrer sprachlichen Gestalt als immanent metalinguistischer Anstoß hätten wirken können. Kafka fand bei Buber religionsgeschichtliche Erzählungen und Essays (die ihre Rolle im Zionismus der Zeit nicht verleugnen), nicht aber Verlautbarungen mystischer Rede. Wenn Buber einmal auf den besonderen Stellenwert der Sprache für Rabbi Nachman von Bratzlaw zu sprechen kommt, so geschieht das in Form eines Resümees, doch wird diese Sprache nicht selbst bei der Arbeit der Verwandlung von Erlebtem in Sagbares vorgeführt. Diese Stelle ist gemeint: „Aber das Wort, das aus dem Seelengrund aufsteigt, ist ihm ein hohes Ding, in seiner wirkenden Lebendigkeit nicht mehr das Werk der Seele, sondern die Seele selbst. Er sagt kein Wort der Belehrung, das nicht durch vieles Leiden gegangen ist; jedes ist ‚in Tränen gewaschen'. Das Wort bildet sich spät in ihm; die Lehre ist bei ihm zuerst Ereignis und wird dann erst Gedanke, das ist Wort; ‚ich habe in mir', sagte er, ‚Lehren ohne Kleider, und es ist mir gar schwer, bis sie sich einkleiden'. Immer ist in ihm eine Bangigkeit des Wortes, die ihm die Kehle zusammenpreßt, und bevor er den ersten Laut einer Lehre spricht, ist es ihm, als müsse seine Seele ausgehn" (Buber a.a.O. S. 902). Die Not mystischen Sprechens wird nur gesagt, aber nicht abgebildet. Als

---

11. Hartmut Binder (Franz Kafka und die Wochenzeitschrift ‚Selbstwehr'. In: DVjs 41, 1967, S. 283-304, S. 304) stellt fest, „daß der Chassidismus auf Kafka eingewirkt und seine Spuren in seinem Werk hinterlassen hat."

12. Binder, Kafka-Hb. Bd. 1, S. 376.

13. Martin Buber, Werke. 3. Bd.: Schriften zum Chassidismus. München und Heidelberg 1963, S, 906.

Quelle für Kafkas Sprachdenken und -handeln kann der Text nicht eingestuft werden.

Als Quelle müssen hingegen die „Legenden des Baal Schem", genauer: deren Eingang, die „Nachricht" über das Leben der Chassidim, in Betracht gezogen werden. Diese „Nachricht" besteht aus den Unterabschnitten „Hitlabut: Von der Inbrunst", „Aboda: Von dem Dienste", „Kawwana: Von der Intuition" und „Schiflut: Von der Demut". Viermal werden Mysterien thematisiert, viermal muß sich die Rede dem „Anderen" zu nähern suchen. Das erste Mysterium meint „die Inbrunst der Ekstase" (S. 2) und ist der unmittelbare Ausdruck für die Überschreitung der Konturen des georteten Lebens; das zweite ist „das mystische Opfer" (S. 10); Kawwana, das dritte, ist das Mysterium „der auf ein Ziel gerichteten Seele" (S, 22); Schiflut schließlich handelt vom „Mysterium der Demut". Die vier Kapitel erfüllen ungeschmälert den *Typus* mystischer Rede, der von Eckhart bekannt ist. Kafka stieß also hinsichtlich des sprachlichen Procedere und der besonderen Lexik auf nichts eigentlich Neues, als er neun Jahre nach seiner Lektüre des altdeutschen Predigers zu Bubers „Legenden" griff.

§ 8. Kleist.

Die nachstehenden Ausführungen erheben nicht den Anspruch, den Leser mit neuen Daten oder Einsichten zu konfrontieren. Allenfalls setzen sie den Akzent anders als gewohnt, insofern sie die Betrachtung auf Kleists sprachkritische Reflexionen verengen und so den Sprachdenker statt des Poeten in den Vordergrund rücken. Eine Untersuchung, die es sich zur Aufgabe setzt, die Formkräfte von Kafkas Sprachdenken zu erheben, kann an Kleist nicht vorübergehen, zu dem sich Kafka bekanntlich mit einer Entschiedenheit bekannt hat, die nachdenklich stimmt.

Es kennzeichnet die Verwandtschaft der sprachkritischen Haltung beider Dichter, daß man Kleists Sprache von Kafka her und die Kafkas aus der Sicht Kleists beschreiben konnte. Horst Turk bemühte im Zusammenhang seiner Darstellung von Kleists Sprachproblem Formulierungen aus Emrichs Kafka-Buch, wohingegen dieser Kleists Diagnose des kommunikativen Versagens des Mediums auf Kafka spiegelte und so die Vergleichbarkeit der Problemlagen hervortreten ließ.[1]

1. Horst Turk, Dramensprache als gesprochene Sprache. Untersuchungen zu Kleists „Penthesilea". Bonn 1965 (= Abhandlungen zur Kunst-, Musik- und Literaturwissenschaft. Bd. 31), S.

Unter sprachkritischem Gesichtspunkt ergeben sich drei Übereinstimmungen. Beide Autoren betonen die kommunikative Unzulänglichkeit der Sprache; die Textgestalten erinnern merklich aneinander; Kleists Marionetten-Aufsatz nimmt ein Prinzip von Kafkas Sprachhandeln vorweg. Als (werkbegleitende) Zeugnisse für Kleists Sprachzweifel werden gemeinhin zwei briefliche Äußerungen gegenüber seiner Schwester Ulrike angeführt. In deren zweiter (vom 13. (14.) 3. 1803) begegnet die prägnante (und späterhin titelbildende[2]) Wendung vom „unaussprechlichen Menschen", der an der Sinnlosigkeit des Gedankens verzweifelt, „das Herz aus dem Leibe [zu] reißen, in diesen Brief [zu] packen, und Dir zu[zu]schicken"[3]. Der zwei Jahre frühere Brief aus der vielbesprochenen sogenannten Kant-Krise erinnert besonders stark an Kafka, insofern er die Not des Schreibenden angesichts eines funktionsuntüchtigen Mediums beklagt. Wirkt die Ausführung zunächst eher wie eine Stereotype, da sie ein Denkmotiv der Zeit aufzunehmen scheint („*Spricht* die Seele, so spricht ach! schon die *Seele* nicht mehr", Schiller), so wird doch bald die individuelle Betroffenheit des unter dem Versagen der Sprache Leidenden merklich (5. 2. 1801). Aus dem bezeichneten Grunde „habe ich jedesmal eine Empfindung, wie ein Grauen, wenn ich jemandem mein Innerstes aufdecken soll; nicht eben weil es sich vor der Blöße scheut, aber weil ich ihm nicht *alles* zeigen kann, nicht *kann*, und daher fürchten muß, aus den Bruchstücken falsch verstanden zu werden"[4]. Kafka konnte sich in dieser Bemerkung wiedererkennen. Zu erinnern ist die Tagebucheintragung vom 3. 10. 1911 (T 76f.) über die ihn beim Diktat überfallende Formulierungsnot und die daraus resultierende peinigende Scham, die der ertragen mußte, auf dessen Unvermögen das gesamte Büro aufmerksam wurde.

Max Kommerell hat gezeigt[5], daß sich in Kleists Dramen die permanente Arbeit am Saume des Ungesagten abbildet und dabei die Gestaltwerdung des bisher Ungesagten erahnbar wird, die doch definitiv scheitert. Der fortwährende sprachliche Prozeß ist nicht mehr als ein Stammeln, und dieses Stammeln gesteht ein, daß die umkreiste Mitte stumm bleiben muß. Das wiederholt sich im Kafkaschen Erzählen. Daß der Versuch, über die Erweiterungen der

8f.— Wilhelm Emrich, Kleist und die moderne Literatur. In: Heinrich von Kleist. Vier Reden zu seinem Gedächtnis. Jahresgabe der Heinrich von Kleist-Gesellschaft. Hrsg. v. Walter Müller-Seidel. Berlin 1962, S. 9-25.

2. Max Kommerell, Die Sprache und das Unaussprechliche. Eine Betrachtung über Heinrich von Kleist, In: M. K., Geist und Buchstabe der Dichtung. Frankfurt/M. 1944³, S. 243-317.

3. Heinrich von Kleist, Sämtliche Werke und Briefe. Hrsg. v. Helmut Sembdner. 2 Bde. München 1970⁵, Bd. 2, S. 730.

4. Ebd. S. 626.

5. A.a.O., S. 244.

sprachlichen Möglichkeiten die Grenzen der (bewußten) Welt zu erweitern, zum textorganisierenden Prinzip wird, gilt für seine sämtlichen Hervorbringungen und zeigt sich mit besonderer Sinnfälligkeit in der „Sorge des Hausvaters" (E 139), deren Titel schon das Thema des Zusammenstoßes von „bepfählter" (Goethe) und nicht verfügbarer Welt andeutet. Kafkas Erzählen kann als Manifestation produktiv gewordener Sprachnot bewertet werden. Darin besteht seine poetische und poetologische Dignität. „Die Sprache kann für alles außerhalb der sinnlichen Welt nur andeutungsweise, aber niemals auch nur annähernd vergleichsweise gebraucht werden, da sie, entsprechend der sinnlichen Welt, nur vom Besitz und seinen Bedingungen handelt" (H 45). Der von Hjelmslev Kritisierte strebt auf das eigentliche Ziel der Erkenntnis zu und sieht allein das metaphysische Problem, ohne dessen mediale Bedingtheit zu bedenken. Tatsächlich aber bildet der Text die Rolle sprachlicher Mäeutik ab (vgl. hier S. 81ff.).

Nicht ohne Grund denkt Malcolm Pasley an Kleists Abhandlung „Über die allmähliche Verfertigung der Gedanken beim Reden", wenn er die Genese Kafkascher Erzählungen darstellt.[6] Die Vergleichbarkeit beider Autoren unter produktionsästhetischem Gesichtspunkt ist damit berührt. Der von Kafka an Schopenhauers Schreibweise erkannte energetische Sprachcharakter begegnet in Kleists Darlegungen, die den produktiven Wert der Sprache für die Ideenfindung betonen und den Zusammenhang von Struktur und Kreativität erahnen lassen.[7]

§ 9. Schopenhauer.

Auf Schopenhauer aufmerksam gemacht wurde Kafka von Max Brod, der am 23. Oktober 1902 in der „Lese- und Redehalle der deutschen Studenten" in Prag über ihn einen Vortrag hielt. Daß er darin Nietzsche einen „Schwindler" nannte, veranlaßte den damaligen Nietzscheaner Kafka zu einem ersten Gespräch mit Brod, das den Anfang ihrer Freundschaft wie auch den Anstoß zu einer intensiven Beschäftigung mit dem Philosophen bedeutete, der auf den nachmaligen Dichter prägend wirken sollte.[1]

6. Die Schreibweise und das Geschriebene S. 14.
7. Vgl. zu den Einzelheiten: Verf., Sprachliche Struktur und dichterische Einbildungskraft. Beiträge zur linguistischen Poetik. München 1978 (= Lehrgebiet der Sprache. 2), § 220.

1. Wagenbach, Jugendbiographie S. 102. — Für die Vertrautheit mit dem Philosophen sprechen auch die beiläufigen Zitate B 310 und 337.

Als Gustav Janouch einmal längere Zeit krank war, schenkte ihm Kafka Schopenhauers „Über Sprache und Stil" aus den „Parerga und Paralipomena" (als Bändchen der Insel-Bücherei; J 58, J² 140). Das Geschenk war und ist eindeutig. Nicht den Philosophen erinnerte es, als der Schopenhauer gemeinhin eingestuft wird; es bedachte den Sprachschaffenden, dessen Faszination sich Kafka — wofür es mehrere Hinweise gibt — nicht entziehen konnte. Bevor Kafka das Insel-Bändchen verschenkte, wies Janouch einmal auf Schopenhauers thematische Orientierung an der indischen Religionsphilosophie. Es bezeichnet Kafkas sehr entschiedenes Schopenhauer-Konzept, daß er auf die Äußerung des Jüngeren mit keinem Wort einging und stattdessen den medialen Aspekt dieser Philosophie hervorhob: „Schopenhauer ist ein Sprachkünstler. Daraus entspringt sein Denken. Wegen der Sprache allein muß man ihn unbedingt lesen." (J 49, J² 122).². Diese souveräne Einsicht in die Schopenhauersche Sprachheuristik demonstriert Kafkas Verständnis sprachlicher Kreativität. Im Wissen um die Tatsache der Sprachinspiration[3] ist er dem Philosophen kongenial. Die eindringliche Empfehlung, die Kafka dem Jüngeren gab, erlaubt nur den Schluß, daß Schopenhauer gerade dadurch für Kafka zum Vorbild wurde, daß er ihm vorführte, welche inventorischen Qualitäten in der Sprache selbst vorhanden sind. (*Wie* sehr Kafka den Punkt traf, ist daran zu se-

2. Nachdem die Zuverlässigkeit von Teilen der Janouchschen „Gespräche", insbesondere der Ergänzungen von 1968, mit z.T. unabweislichen Gründen bestritten worden ist (Gerhard Kurz, Traum-Schrecken. Kafkas literarische Existenzanalyse. Stuttgart 1980, S. IX; Binder, Kafka-Hb. Bd. 2, S. 554-562), sollte nicht ohne genaue Prüfung des eventuellen Beleges auf dieses „Dokument" zurückgegriffen werden. Im Fall der auf Schopenhauer bezogenen Angaben kann von Authentizität gesprochen werden. Die Erwähnung des Buchgeschenks erfolgt schon in der ersten Ausgabe von 1951 (J¹ 58). Belege, die Fakten und nicht Meinungen beinhalten, kommen auch sonst vor und werden durch andere Zeugnisse gestützt: Erwähnung der jüdischen Schauspieler im „Savoy" (J¹ 36), der Hinweis auf „Naše Reč" (ebd. 85). Janouch müßte vorsätzlich gelogen haben, sollte die Erwähnung von „Über Schriftstellerei und Stil" in dem Zusammenhang falsch sein. Zwar erst unter den Ergänzungen der 2. Auflage erscheint die Etymologie von „Wirklichkeit" (J² 69), aber sie kann als beweisfähig angesehen werden. Eine Fälschung setzte (1) ein genaues Wissen um Kafkas Schopenhauernachfolge, (2) eine Einsicht in Kafkas Sprachverständnis und (3) intime Schopenhauer-Kenntnis voraus. Die sich allenthalben bekundende intellektuelle Artung des Berichtenden läßt nicht vermuten, er habe die genannten Voraussetzungen erfüllen und perfekt fälschen können. Der Beleg wird gestützt durch Kafkas kaum später referierte Äußerung über den Selbstmord (Gipfel der Selbstliebe), die stark an Schopenhauers Einschätzung des Suizids erinnert. — Sämtliche hier revidierten Belege stützen die wichtige Äußerung (J¹ 49) über den sein Denken aus der Sprache schöpfenden Philosophen: Diese Schopenhauer kongeniale Bemerkung Kafkas zu erfinden hätte ebenfalls jene dreifache Fähigkeit zur Voraussetzung gehabt, die man Janouch nicht zubilligen möchte.
3. Hilde Domin, Wozu Lyrik heute? Dichtung und Leser in der gesteuerten Gesellschaft. München 1968, S. 117.

hen, um wieviel genauer als Fritz Mauthner er formulierte, dessen Verständnis Schopenhauerschen Schreibens doch immerhin in dieselbe Richtung zielte: „Schopenhauer hat nicht nur manches Licht auf das Wesen der Sprache gelenkt; er hat auch die Kritik der Sprache dadurch gefördert, daß er sie als Werkzeug des Erkennens ehrlicher, schöner und dichterischer handhabe als irgend ein deutscher Philosoph vor ihm."[4]

Verschiedentlich sind gedankliche und motivliche Zusammenhänge zwischen Schopenhauer und Kafka dargestellt worden[5], nicht jedoch die Übereinstimmung sprachlicher Prinzipien und die beiden Autoren eigentümliche Fähigkeit, Sprachreflexion für die (philosophische bzw. poetische) Ideenfindung fruchtbar zu machen. Die Vorbildlichkeit Schopenhauers zu untersuchen könnte zugleich einen Beitrag zu Kafkas poetischer Heuristik bedeuten.

Das eigentliche Gebiet der Philosophie, in Wahrheit *seiner* Philosophie, bildet nach Schopenhauer das „Unerklärliche": „Der Grund und Boden, auf dem alle unsere Erkenntnise und Wissenschaften ruhen, ist das Unerklärliche. Auf dieses führt daher jede Erklärung, mittelst mehr oder weniger Mittelglieder, zurück; wie auf dem Meere das Senkblei den Grund bald in größerer, bald in geringerer Tiefe findet, ihn jedoch überall zuletzt erreichen muß. Dieses Unerklärliche fällt der Metaphysik anheim."[6] Das Wort vom Erklären des Unerklärlichen erinnert sofort an Kafka, der im letzten Absatz des Fragmentes „Prometheus" (E 3C6) schreibt: „Blieb das unerklärliche Felsgebirge. — Die Sage versucht das Unerklärliche zu erklären. Da sie aus einem Wahrheitsgrund kommt, muß sie wieder im Unerklärlichen enden." (ebd.). Zuvor werden vier Varianten des Prometheus-Mythos gegeben, die im Zusammenhang mit dem zitierten Resümee verständlich sind. Das definierte Unvermögen, eine unteilbare Wahrheit sprachlich zu begreifen, motiviert, wenn dies auch paradox erscheint, den poetischen Vorgang[7]. Um dieses Paradox kreist eine Be-

4. Schopenhauer (aus des Verfassers Wörterbuch der Philosophie gesondert abgedruckt). München und Leipzig 1911, S. 32.
5. T.J. Reed, Kafka und Schopenhauer: Philosophisches Denken und dichterisches Bild. In: Euphorion 59, 1965, S. 160-169. — Kurz, Traum-Schrecken, a.a.O., S. 6f., 141f., 146, 162f.
6. Arthur Schopenhauer, Zürcher Ausgabe. Werke in 10 Bänden. Zürich 1977 (= Diogenes-Taschenbuch. 140/1-10). Hier: Ueber Philosophie und ihre Methode. Parerga und Paralipomena II, § 1. Bd. 9, S. 9.
7. Nach Binder (Kafka-Kommentar zu sämtlichen Erzählungen S. 239) bildeten die Prometheus behandelnden Bemerkungen in Foersters „Jugendlehre" (die tatsächlich Teil des von Felice Bauer zu referierenden Kapitels sind: „Der gefesselte Prometheus", S. 55-58) die hauptsächliche Motivation Kafkas, seine Erzählung zu verfassen. Foerster erkennt in der Prometheus-Sage die Volksdichtung, die sich über die Hybris des Titanen entsetzt und so ein grundständiges Bedürfnis des Menschen nach Demut und Bescheidenheit bekundet. „Da Kafka aber große Zweifel an der

ıerkung des Dichters: „Es gibt nur zweierlei: Wahrheit und Lüge. Wahrheit ist unteilbar, kann sich also selbst nicht erkennen; wer sie erkennen will, muß Lüge sein" (H 99, vgl. hier S. 65ff.). Es mag Annäherungsversuche an die Wahrheit geben, die in ständig abnehmenden Radien die unsagbare Mitte umkreisen, aber sie bleiben schließlich nur asymptotisch.

In „Über Schriftstellerei und Stil" konnte Janouch, konnte vor ihm Kafka über eine typische Weise uneigentlichen Sprechens lesen. Für Kafkas Redeweise ist das vergleichende Worten charakteristisch, das seine Funktion hat: Nicht zu ornamentalem Zweck werden Vergleiche eingesetzt, sondern um der Not dessen abzuhelfen, der prinzipiell Neues aussagen will und das durch eine positive Setzung nicht leisten kann. Der Vergleich greift vom vertrauten ins noch nicht „bepfählte" Gelände. Er signalisiert so zweierlei: die Unverzichtbarkeit des Mediums und zugleich dessen allenfalls ansatzweise Möglichkeit zur Gegenstandsstiftung. Aber auch *sie* darf nicht übersehen werden. „*Gleichnisse* sind von großem Werte; sofern sie ein unbekanntes Verhältnis auf ein bekanntes zurückführen"[8]. Parabel und Allegorie erfahren als „ausführlichere" Gleichnisse dieselbe günstige Beurteilung.

„Prometheus" steht im vorliegenden Zusammenhang exemplarisch für den Kafkaschen Text. In seinem Procedere kann der Sprachvorgang Schopenhauerscher Arbeiten wiedererkannt werden, dessen Grundfigur die des Kreises ist. Das gilt für die Philosophie als ganze, die nach ihres Schöpfers eigenem Bekunden einen *einzigen* Gedanken abhandelt.[9] Daß sich Schopenhauer mit einem Jäger vergleicht, insofern er auf Gedanken Jagd mache, überrascht durchaus nicht: „Wenn mir ein Gedanke nur undeutlich entsteht und als ein schwaches Bild vorschwebt; so ergreift mich unsägliche Begierde, ihn zu fassen; ich lasse alles stehn und liegen und verfolge ihn wie der Jäger das Wild durch alle Krümmungen, stelle ihm von allen Seiten nach und verrenne ihm

,Selbstbeherrschungs-Pädagogik' Foersters hatte (B 208, vgl. F 701), erhielt auch seine eigene Gestaltung der Sage eine ganz andere Ausrichtung." Dazu ist zu sagen: Im zweiten Beleg (F 701) ist davon die Rede, daß ihn Erziehungsbeispiele, die ihm aus dem Buch erzählt worden waren, „betroffen" gemacht hätten; dem ersten Beleg kann man nicht entnehmen, daß ihm die Pädagogik Foersters an sich fragwürdig war; „immer hilfloser" erschien sie ihm. Außerdem würden es auch von Kafka entworfene weitere Varianten des Mythos Foerster erlaubt haben, seine pädagogische Auffassung an Prometheus zu demonstrieren. Es gibt jedoch einen prinzipiellen Grund zu zweifeln: Binders Rekonstruktion eines Zusammenhanges verwechselt Sujet und Thema.

8. Über Schriftstellerei und Stil. Hrsg. von Wolfgang Freiherr von Löhneysen. Frankfurt/M. 46.-51. Tsd. 1960 (= Insel-Bücherei. 55), S. 65.

9. Die Welt als Wille und Vorstellung. Bd. I. „Vorrede zur ersten Auflage" bzw. 4. Buch, § 54. Zürcher Ausgabe Bd. 1, S. 7 bzw. Bd. 2, S. 360.

den Weg, bis ich ihn fasse, deutlich mache und als erlegt zu Papiere bringe"[10]. Schopenhauers vergleichende Bemerkung, daß die Feder „dem Denken was der Stock dem Gehn", kann im Nachhinein als adäquate bildliche Erfassung von Kafkas an das Schreiben bzw. das Sprechen gebundenem Denken angesehen werden, und der Dichter dürfte sie in dem Gefühl gelesen haben, sie bestätigen zu können. Daß der Prozeß der Ideenfindung und Erkenntnisstiftung sowie der des Schreibens identisch sind, kennzeichnet ein Produzieren, wie es von Pasley dargestellt wurde (s. o. S. 19). Wenn jemand, so war Schopenhauer zu der Äußerung berufen. Sein Werk bildet einen einzigen Beleg dafür, daß der je neue Vorstoß in die Zone außersprachlichen Bewußtseins Bedingung der Möglichkeit ist, einen Gedanken zu konturieren und konkretisieren. So besehen, darf die abschließende Feststellung, „das vollkommenste Denken geh[e] ohne die Feder vor sich"[11] und nur im Alter bedürfe man wie des Stockes auch der Feder, nur als Äußerung der Sehnsucht nach einem sprachfreien Denken und diese Sehnsucht als Ausdruck dessen gewertet werden, der sich seiner Angewiesenheit auf Sprache nur allzu sehr bewußt war.

Das verbindet ihn mit dem Dichter. Weil Kafka, durch eigene Erfahrung belehrt, faszinieren mußte, daß und wie sich das Werk eines anderen auf dem sprachlichen Plan konstituiert und so die Autonomie des Mediums in den Vordergrund rückt, konnte er dem jungen Bewunderer so eindringlich die Lektüre — nicht des Philosophen, sondern des Sprachkünstlers nahelegen.

Der „Satz vom zureichenden Grunde" beschreibt die gesetzmäßige und formaliter a priori gegebene Verbindung, in der nach Schopenhauer die Vorstellungen zueinander stehen. Vier verschiedene Formen kann dieser Satz nach der Art der Vorstellungen annehmen, die in vier Klassen eingeteilt werden (die sich aus den vier Typen von Objekten der Vorstellungen ergeben). Begriffe werden als „abstrakte Vorstellungen" oder „Vorstellungen von Vorstellungen" bezeichnet. Sie bilden die zweite Klasse der Vorstellungsobjekte. Insofern der „Satz vom Grund [...] Verbindungen der Erscheinungen, nicht diese selbst"[12] erklärt, erhellt, daß das Sprechen notwendig Anschauungsformen und Kategorien unterliegt und sich der Versuch, Aussagen über Wesenheiten zu machen, die von dem Satz nicht erfaßt werden, allenfalls vorläufig oder negativ durchführen läßt.

Einen weiteren Grund für die definitive Leistungsunfähigkeit des Mediums sieht Schopenhauer darin, daß das einzelne sprachliche Zeichen abstraktiv ist,

10. Löhneysen S. 84.
11. Ebd. S. 14.
12. Die Welt als Wille und Vorstellung. Bd. I. 1. Buch, § 15. A.a.O. Bd. 1, S. 123.

statt individuell auf *einen* Gegenstand bezogen werden zu können.[13] Daß Individuelles durch Allgemeines (und Kollektives) eingeholt werden muß, macht den Grund der Aporie aus. In deren Folge zeigt sich „die Inkongruenz des Begriffs zur Realität, zeigt sich, wie jener nie auf das Einzelne herabgeht und wie seine Allgemeinheit und starre Bestimmtheit nie genau zu den feinen Nüancen und mannigfaltigen Modifikationen der Wirklichkeit passen kann."[14]

Wenn es eingangs hieß, Sprachunmittelbare äußerten sich niemals nur in einer Richtung über ihr Medium, sondern gäben, indem sie sich scheinbar widersprechen, seiner eigentümlichen Dialektik Ausdruck, so gilt das ohne Abstriche für Schopenhauer, der einmal mehr den Rang seiner Sprachbewußtheit zu erkennen gibt. Er weiß um die emanzipierenden wie die restringierenden Qualitäten der Sprache. Unverzichtbar ist sie als das „unentbehrliche Mittel zum deutlichen Denken."[15] Ebenso weiß er, daß Sprechen Ent-Äußerung und Petrifizieren des Gedankens bedeuten kann, und behandelt im 4. Abschnitt „Über Schriftstellerei und Stil" den Konflikt von Ausdruckswillen und Ausdrucksform, der prinzipiell ist und demnach immer währt. Schopenhauer bezeichnet damit das grundlegende Problem einer Rede, die nicht nur repetiert, was schon seine Formulierung gefunden hat, sondern innovativ sein will. Daß damit dasjenige Problem thematisiert wird, das in mystischer Rede radikal hervortritt, deuten Wörter wie „innig" und „Grund" an: „Sobald [...] unser Denken Worte gefunden hat, ist es schon nicht mehr innig, noch im tiefsten Grunde ernst."[16]

Schopenhauer nennt als eine Möglichkeit, der beschriebenen Befangenheit im (zunächst muttersprachlich bereitgestellten) Medium entgegenzuwirken, das Ausweichen in andere Sprachen. Er beschreibt damit den Weg, den Kafka manchmal nimmt. Schopenhauer kennt nicht nur das Phänomen (nicht aber den Begriff) der sprachlichen Welt(an)sicht, er weiß nicht nur, daß sprachlichen Lücken im einen Weltbild ausgebaute Positionen im anderen korrespondieren können, er ist sich auch der semantischen „Paenidentität"[17] bewußt, in der sich einzelsprachliche Benennungen für denselben Referenten zueinander befinden. Von der Einsicht in die unterschiedliche sprachliche Ausgestaltung von Weltbildern macht Kafka wenn nicht in Primätexten, so doch in werkbegleitender Rede Gebrauch. Schopenhauers polyglotte Begabung ist bildungsbiographisch zu erklären, Kafkas Multilinguismus Ergebnis seiner Sozialisa-

---

13. § 9. Ebd. S. 71ff.
14. Bd. I. 1. Buch, § 13. Ebd. S. 98.
15. Bd. II. 1. Buch, Kap. 6. Bd. 3, S. 81.
16. Ueber Schriftstellerei und Stil. Parerga und Paralipomena II, § 275. Bd. 10, S. 555.
17. Ueber Sprache und Worte. Parerga und Paralipomena II, § 299. Ebd. S. 616.

tion. Das Ergebnis ist in beiden Fällen dasselbe: Ein gesteigertes Sprachbewußtsein bedingt die Durchbrechung sprachrealistischen (Weisgerber) Verhaltens.

Aus der Sprache entspringe Schopenhauers Denken: Das zeigte sich dem aufmerksamen und poetisch disponierten Betrachter nicht nur darin, daß sich im philosophischen Diskurs sprachliche Arbeit in Permanenz abbildet. Die Tatsache sprachgebundener Heuristik macht sich Schopenhauer zunutze, wenn er zum Zweck philosophischer Einbildung etymologisiert und dabei auf einen ursprünglicheren Sinngehalt von Wörtern stößt, der als Hinweis auf Denkmöglichkeiten dankbar wahrgenommen wird. Oder er führt uneigentliche Redewendungen auf ihren angestammten gegenständlichen Gehalt zurück, der gleichfalls erhellend wirken kann. Insofern muß das Schreiben des Philosophen für Kafka paradigmatisch sein. Schopenhauer nimmt durch sein Verfahren nicht nur einen in der Klassischen Moderne (aber auch sonst) häufig angestrengten Mechanismus vorweg; er übt — nicht ohne bisweilen geglückte Lösungen — eine Praxis, die an die poetische Werkstatt Kafkas erinnert. „Wissen [...] ist das abstrakte Bewußtseyn, das Fixirthaben in Begriffen der Vernunft".[18] Damit ist der theoretische Grund zum angedeuteten linguistisch-philosophischen Verfahren gelegt. Obendrein kennt Schopenhauer einen Gewährsmann. Er zitiert den 81. Brief Senecas, in dem er das Prinzip seines Vorgehens vorweggenommen sieht: „Mira in quibusdam rebus verborum proprietas est, et consuetudo sermonis antiqui quaedam efficacissimis notis signat."[19] Für das Etymologisieren genügt hier ein Beispiel, das zudem Kafka betrifft. Der Blick auf eine sprachlich verborgene, doch dem Sprachunmittelbaren zugängliche Weisheit stützt die philosophische Behauptung, daß neben der „Ursache" die „Wirkung" „das ganze Wesen der Materie" bildet. „Höchst treffend ist [...] im Deutschen der Inbegriff alles Materiellen *Wirklichkeit* genannt, welches Wort viel bezeichnender ist, als Realität."[20]

Das etymologische Argument kehrt in den mit besonderer (und nicht unbegründeter Skepsis betrachteten Erweiterungen von Gustav Janouchs Gesprächen mit Kafka wieder. „Die Wirklichkeit ist die stärkste, die Welt und den Menschen modellierende Kraft. Sie wirkt. Darum hat [heißt?] sie eben die Wirklichkeit" (J² 69). Der Kenner des primären und sekundären Werkes Kafkas darf sagen, daß seine etymologischen und pseudologischen Operationen eine Manier fortführen, in der sich der aus der Sprache heraus Philosophierende zum Zwecke der Ideenfindung übte.

18. Die Welt als Wille und Vorstellung, Bd. I. 1. Buch, § 10. Bd. 1, S. 87.
19. 1. Buch, § 4. Ebd. S. 36, Anm.
20. Ebd. S. 35f.; ähnlich S. 42 („jene ganz wirkliche, d.i. wirkende Welt").

Für die Zurückführung eines uneigentlichen Ausdrucks auf seinen primären und gegenständlichen Sinngehalt wird hier ebenfalls nur ein allerdings signifikantes Beispiel vorgeführt, das Schopenhauer benutzt, um zu demonstrieren, daß das Wissen um die diätetische Funktion der (künstlerischen) Kontemplation in der Sprache aufgehoben ist. Auch für diesen Kunstgriff gilt, daß Schopenhauer vormacht, was als ein grundlegender Erzeugungsmechanismus bei Kafka wirkt. Ideen unterliegen für Schopenhauer nicht dem principium individuationis. Sollen sie Gegenstand der Erkenntnis werden „so wird dies nur unter Aufhebung der Individualität im erkennenden Subjekt geschehn können."[21] Das bedeutet aber zwangsläufig, daß das Subjekt aus seinem Kontext heraustritt und reines, also willenloses Subjekt der Erkenntnis wird, „welches nicht mehr, dem Satz vom Grunde gemäß, den Relationen nachgeht; sondern in fester Kontemplation des dargebotenen Objekts, außer seinem Zusammenhange mit irgend andern, ruht und darin aufgeht."[22] Die gerühmte „Säligkeit des willenlosen Anschauens"[23] ist gleichbedeutend mit der Erlösung vom Herrschaftsbereich des Willens und dessen nie endenden Machinationen. Je schöner ein Kunstobjekt ist, je sinnfälliger und also hinreißender es wirkt, desto leichter kann es die diätetische Funktion wahrnehmen, die ihm Schopenhauer zugedacht. Weil es auf Grund seiner (optisch akzentuierten) Sinnenhaftigkeit zu faszinieren und zu absorbieren vermag, kann sich der Betrachter darein verlieren und so Befreiung von sich als demjenigen erlangen, der der Gültigkeit des Satzes vom Grunde unterliegt. Man erlangt Befreiung, „indem man, nach einer sinnvollen Deutschen Redensart, sich gänzlich in diesen Gegenstand *verliert*, d.h. eben sein Individuum, seinen Willen vergißt und nur noch als reines Subjekt, als klarer Spiegel des Objekts bestehend bleibt."[24] Für den, der das Medium in dieser Weise aspiziert, ist Sprache (langue) Philosophie im Zustande ihres Außersichseins.

Es könnte eingewendet werden, mit diesen und anderen Beispielen seien einzelne, nur sporadisch auftretende Fälle bezeichnet, die es noch nicht erlaubten, vom *Prinzip* der Ideenfindung aus der historischen und systematischen Dimension des Mediums zu sprechen. Abgesehen davon, daß die Zahl einschlägiger Belege nachdenklich stimmt, hat sich Schopenhauer auf metaphilosophischer Ebene zum Grundsatz der Sprachheuristik bekannt. Die Schrift „Ueber den Willen in der Natur" enthält neben Ausführungen zu Physiologie, Pathologie, Anatomie, Astronomie, die „ausgehend vom rein Empiri-

21. 3. Buch, § 30. Ebd. S. 222.
22. § 34. Ebd. S. 231.
23. § 38. Ebd. S. 255.
24. § 34. Ebd. S. 232.

schen [...] die Rechnungsprobe zu [s]einem Fundamentaldogma"[25] machen, ein kleines Kapitel über „Linguistik". Hier nimmt Schopenhauer die Chance wahr, die Gültigkeit des von ihm formulierten Willens-Prinzips an der Sprache nachzuweisen. Ihn interessieren namentlich solche Verwendungsformen, in denen die Vorstellung vom Willen zum Grammaticale formalisiert ist. Er denkt an das Englische, in dem „das Verbum Wollen sogar das Auxiliar des Futurums aller übrigen Verben geworden, wodurch ausgedrückt wird, daß jedem Wirken ein Wollen zum Grunde liegt."[26] Seine Ausführungen rundet Schopenhauer mit einem Satz ab, in dem man die wenn auch verdeckte Formulierung seiner Einsicht in die heuristische Qualität der Sprache erkennen kann: „Die Sprache also, dieser unmittelbarste Ausdruck unserer Gedanken, giebt Anzeige, daß wir genöthigt sind, jeden innern Trieb als ein Wollen zu denken [...]. Die vielleicht ausnahmslose Uebereinstimmung der Sprachen in diesem Punkt bezeugt, daß es kein bloßer Tropus sei, sondern daß ein tiefwurzelndes Gefühl vom Wesen der Dinge hier den Ausdruck bestimmt."[27]

§ 10. Foersters „Jugendlehre"

Die Suche nach Arbeiten, die auf eine Beschäftigung Kafkas mit sprachtheoretischen Fragen schließen lassen, führt zu Friedrich Wilhelm Foersters (1869—1966) „Jugendlehre. Ein Buch für Eltern, Lehrer und Geistliche" (1904), das 1911 im 55. Tausend vorlag.[1] In Ermangelung eines auf jüdischer Ethik fußenden Unterrichtswerkes (F 701, Anm. 2) stand das Buch auf dem Programm eines Fortbildungskurses für Helfer des „Jüdischen Volksheimes" in Berlin. Es wurde Kafka im Herbst 1916 durch die seit Anfang September dort tätige (F 693) Felice Bauer bekannt, die er bei ihrem Mitte Juli 1916 (also zwischen den Verlobungen von 1914 und 1917) in Marienbad verbrachten Aufenthalt veranlaßt hatte, sich an der praktischen Erziehungsarbeit der zionistischen Einrichtung zu beteiligen.[2] Auf die offenkundig kurz vor dem

---

25. Ueber den Willen in der Natur. „Vorrede". Bd. 5, 183.
26. Linguistik. Ebd. S. 291f.
27. Ebd. S. 293.

1. Berlin: Georg Reimer.
2. B 141 und B 505, Anm. 2. — Zu den Gründen, weshalb Kafka so intensiv wünschte, Felice möge sich im „Volksheim" engagieren, lese man die Briefe vom 19.7.16 (F 666f.), 29.7.16 (F 672 f.), 2.8.16 (F 674f.), 18.8.16 (F 683), 12.9.16 (F 696).

18.9.1916 erfolgte Bitte Felices um eine Einschätzung der Schrift antwortete Kafka unentschieden. Er habe nur Gutes von ihr gehört, Weltsch schätze sie sehr, doch er selbst sei angesichts einiger ihm daraus bekanntgewordenen Erziehungsbeispiele eher skeptisch (F 701). Einen Tag später ist von einem „in seiner Art [...] bewunderungswürdige[n] Buch" die Rede, das allerdings der Ergänzung bedürfe (F 702; das Tagebuch erwähnt die Lektüre des „Foerster" noch für den 8.10.1916: T 366; und brieflich führt Kafka noch am 10.12.1917 ein Erziehungsbeispiel aus dem Werk an: B 209): Kafka hatte das von Felice für ihr Referat übernommene Kapitel sofort durchgelesen (19.9.1916, F 702f.), bei dem es sich, wie aus dem Brief vom 25.9.1916 (F 706) hervorgeht, um diejenige Partie der „Jugendlehre" handelt, die sich mit der Frage befaßt, welchen Teil die einzelnen Unterrichtsfächer: Physik, Physiologie, Astronomie, Geschichte, Literatur, Gesang, Musik und *Sprache* zur sittlichen Menschenbildung beisteuern können.[3] Der Tatsache, daß Kafka für Felice einen Entwurf des Referates konzipierte, verdankt sich dieser explizite Beleg für seine Beschäftigung mit einem auch sprachbedenkenden Werk seiner Zeit.

Nach Foerster kann Spracherziehung nicht als Beitrag zu einer — darwinistisch begriffenen — sozialen Kompetenz mißverstanden werden, denn die vorrangige Funktion der Sprache darf nicht darin bestehen, daß man Überlegenheit über seine Mitmenschen gewinnt. Spracherziehung muß vielmehr philantropisch ausgerichtet sein und im jungen Menschen das Bewußtsein dafür wecken, daß Sprache Bedingung und Sprachhandeln erste Stufe mitmenschlichen Verhaltens ist.

Ein auf die Herausbildung dieser Einsicht gerichteter Unterricht arbeitet mit Begriff und Phänomen der „Gastfreundschaft", die auf die sprachliche Interaktion von Menschen unterschiedlicher Muttersprachen übertragen wird. „Sprachliche Gastfreundschaft" bedeutet, den Fremden in seiner angestammten Sprache von sich sprechen zu lassen, ihm in seiner Sprache entgegenzukommen und ihm so Informationen über seine neue Umwelt mitzuteilen. So kann er sich, weiterhin in der angestammten Sprache lebend, heimisch fühlen. *Diese* Art von „Gastfreundschaft" schafft die Grundvoraussetzung für Kommunikation, die den Namen verdient; denn sie ermöglicht dem Fremden, der doch Gast ist, sich so zu geben, wie es seinem Wesen, seinem Herkommen, seiner Neigung entspricht. Er kann sich redend verwirklichen, da man auf sein Idiom eingeht. Da der Mensch nicht nur an Sprache, sondern an *seine* Sprache gebunden ist und „im fremden Lande in der Sprache der Heimat" (S. 61) wei-

---

3. Ethische Gesichtspunkte für verschiedene Lehrfächer, S. 49-83, über Sprache S. 61-63.

terzuwirken vermag, bleibt seine Individualität gewahrt, statt in der Unterwerfung unter fremde Muster beeinträchtigt zu werden oder verlorenzugehen.

Was für das wechselseitige Verhältnis von Sprechern unterschiedlicher Sprachen gilt, ist prinzipiell auf die Sprecher ein und derselben Sprachgemeinschaft übertragbar. Foerster plädiert für Offenheit gegenüber dem Mitmenschen. Für sie ist es unabdingbar, sich von der Befangenheit in sich selbst zu befreien und sich in die „fremde Anschauungswelt" (S. 62) zu versetzen.

Dieses entschiedene Wort rückt der Referent an den Beginn seiner dem Sprachunterricht geltenden Skizze, und Foersters Vergleich mit der Gastfreundschaft wird ihm Anlaß für die schöne Metapher von der „innerliche[n] Gastfreundschaft"; er verleiht so der Auffassung vom philantropischen, weil kommunikativen Wert sprachlichen Handelns Nachdruck (alles F 707). Daß diese „innerliche Gastfreundschaft" den anderen Aspekt der „Loslösung von der Beschränktheit des eigenen Empfindens" (ebd.) bedeutet, zeigt die enge kontextuelle Verknüpfung der Bestandteile, aus denen die Äußerung gefügt ist.

Foersters Darlegungen dürften aus mehreren Gründen Kafkas Zustimmung gefunden und ihn in seinem Aufmerken auf bestimmte Gegebenheiten sprachlichen Verkehrs bestärkt haben. Er konnte aus der persönlichen Erfahrung des Sprachenkampfes in Böhmen die Notwendigkeit einer Erziehung zu Toleranz und Bescheidenheit bestätigen. Daß er das Wort von der „Toleranz" in seinem Referatentwurf wieder aufnimmt, verwundert überhaupt nicht. Und dem Exterritorialen war es ohnehin Gewißheit, man müsse dem Menschen seine Sprache lassen, da sich in ihr Heimat herstellt.

Mißlingende Kommunikation, die im Zentrum von Foersters Überlegungen steht, bildet eines der großen Themen Kafkas, wobei es gleichgültig ist, ob sie an Vorkommnissen der empirischen Welt oder im Zusammenstoß unterschiedlicher Seinsqualitäten hervortritt. Daß Karl Roßmann in der Fremde ist, zeigt sich nicht zum geringsten am Versagen seiner aus Europa mitgebrachten Begrifflichkeit; „Beschränktheit des eigenen Empfindens und Bedürfens" (Foerster S. 62) machen Josef K. zu einem Fremden in angestammter Umwelt. Er kann die Bedeutung der von anderen verwirklichten Sprachspiele nicht erfinden. K. („Schloß") ist der Exterritoriale schlechthin; befangen in seiner Sprache, kann er ein Leben, das auf veränderte Bedingungen reagiert, unmöglich führen.

Die Beschäftigung mit Erscheinungsformen mißlingender Kommunikation nimmt in Kafkas Werk gegen Ende eher zu. In der Zeit nach der Foerster-Lektüre entstanden außer dem Roman so markante Texte wie „Ein Landarzt" (E 124), „Eine kaiserliche Botschaft" (E 138), „Die Sorge des Hausvaters" (E

139), „Erstes Leid" (E 155), „Ein Hungerkünstler" (E 163), „Gibs auf!" (E 358), „Josefine, die Sängerin [...]" (E 172).

Teil II: Kafkas Sprachauffassung.

§ 11. Einleitende Bemerkungen. *Intransitivierung der Sprache*

Die nachfolgenden Darlegungen dienen der Kennzeichnung von Kafkas künstlerischer Mentalität, sie besitzen über den einzelnen Autor hinaus poetologisches Interesse. Die generelle Bedeutung sowohl von Kafkas werkbegleitenden Äußerungen zur Sprache als auch seiner Formen alltäglichen Sprachhandelns besteht darin, daß sie das Primärwerk als folgerichtige Fortsetzung einer Praxis erscheinen lassen, die geübt wurde, wann auch immer dieser Autor sprachhandelnd aktiv wurde. Die Teile des Werkes bilden ein Kontinuum. Darin liegt die angedeutete poetologische Relevanz: Mit einer Klarheit, wie sie ansonsten selten hervortritt, zeigt sich im Falle Kafkas die prinzipielle Einheit von Sprache und Dichtersprache, die von den in den vergangenen Jahren die Diskussion prägenden Anhängern der Abweichungshypothese in Frage gezogen wurde.[1] Kafkas Wirken bestätigt die Vermutung, daß als ein zuverlässiges Kriterium der poetischen Dignität eines Autors seine Linguistizität anzusehen ist. Damit ist seine Fähigkeit gemeint, aus der Erinnerung der historischen und systematischen Dimension des Mediums dichterische Welt zu entfalten oder doch mit zu gestalten.

Es muß hervorgehoben werden, daß sich die Bekundungen von Kafkas Sprachdenken, seine Neigung, explicite Sprache zu thematisieren, auf die gesamten schriftlich erhaltenen Dokumente und, wenn man dem nicht nur einmal angezweifelten Janouch Vertrauen schenkt, auf seinen kolloquialen Umgang erstrecken. Die Tatsache indiziert den Stellenwert, den sprachliche Fragen für Kafka besaßen.

Die einzelnen Belege können für sich von Bedeutung sein, in der Regel aber wirken sie eher unerheblich, wohingegen sie ihre argumentative Stärke in ihrer Gesamtheit besitzen. Ihre Quantität belegt Stete und Intensität eines Sprachdenkens, das sich unterschiedlich manifestiert.

Alltägliche Sprachverwendung nimmt Sprache transitiv, um durch sie hindurch die „Gegenstände" zu greifen und zu kommunizieren. Die gegenteilige Betrachtung richtet sich auf die Sprache selbst und ihre Gesetzmäßigkeit, ist also intransitiv. Diese Intransitivierung des Mediums ist bei Kafka habituell. Charakteristisch ist der prinzipiell immer mögliche und häufigst verwirklichte Wechsel zwischen referentieller und metasprachlicher Aussage. Die Thema-

---

1. Vgl. dazu Verf., Poetik passim.

tisierung der Zeichenebene ist ständiges Zwischenstadium des Kafkaschen Diskurses.

Das Hervortreten der metasprachlichen Funktion kann unterschiedlich motiviert sein. Einzelheiten werden dargestellt. Hier soll nur der einfachste Fall erwähnt werden, der aber zugleich das elementare philologische Interesse des Autors indiziert: Zu wiederholten Malen bilden ein auffälliges Wort oder Syntagma Grund zum Anhalten referentieller Rede und ihrer Durchbrechung, und Bemerkungen zur intransitiven Dimension werden niedergeschrieben. Exemplarisch ist ein Kartengruß an Felice: „Liebste, während die gierigen gegnerischen Advokaten hinter mir sich um das Meistbot reißen (es macht nichts, wenn Du das Wort nicht verstehst) bin ich recht zufrieden, an diesem Tischchen zu sitzen und Dich, Liebste, von Herzen grüßen zu können" (F 128).[2]

§ *12. Konflikt sprachlicher Weltbilder.*

Nicht umsonst wurde von Exterritorialität und Multilinguismus gesprochen. Benjamin Lee Whorf macht der „natürlichen Logik", die für die vorwissenschaftliche Sprachauffassung verantwortlich ist, den Vorwurf, sie übersehe den Hintergrundcharakter der Sprache. Nur so sei es zu erklären, daß der Anteil der Sprache am Denken verkannt wird.[1] Exterritorial zu sein, multilingual zu leben und um den Hintergrundcharakter der Sprache zu wissen war für Kafka gleichbedeutend. Das Bewußtsein, nicht bloß in einer Welt, sondern in einer sprachlichen Zwischenwelt zu leben und — befangen zu sein, kennzeichnet eine grundlegende Einsicht des Dichters, die er Erfahrungen verdankte, die in der Regel schmerzlich waren. Wenn es bisweilen den Eindruck macht, ein auswegloser Panlinguismus habe sich Kafkas bemächtigt, so liegen die Gründe dafür in seiner multilingualen Ausgangssituation. Die Identität von Sprache und Lebensform, von Sprache und Persönlichkeit blieb für Kafka unrealisierbar. Und er wußte um diesen Zusammenhang (M 61). Verständlicherweise hält er Milena im vierten (erhaltenen) Brief an, tschechisch zu schreiben: „[T]schechisch wollte ich von Ihnen

2. Vergleichbare Fundstellen: F 81, 91, 185, 252, 331, 361, 373, 594; O 39; T 26, 499, 531, 602, 623, 637, 670; B 90, 169, 180, 277, 375; M 17, 57, 60, 82, 196.

1. Naturwissenschaft und Linguistik. In: B. L. W., Sprache, Denken, Wirklichkeit. Beiträge zur Metalinguistik und Sprachphilosophie. Hrsg. und übers. von Peter Krausser. Reinbek 1963 (= rde. 174), S. 7-18, S. 11.

lesen, weil Sie ihm doch angehören, weil doch nur dort die ganze Milena ist (die Übersetzung bestätigt es), hier doch immerhin nur die aus Wien oder die auf Wien sich vorbereitende. Also tschechisch, bitte" (M 15, vgl. M 22f.). Es ist begreiflich, daß er am Gegenüber erfahren wollte, was ihm selbst als dem mehrfach Exterritorialen verschlossen blieb. Seine Gefühlslage wird angesichts gewisser sprachlicher Irritationen deutlich, die Brods „Jenufa" auslöste: „Ist das nicht Deutsch, das wir von unsern undeutschen Müttern noch im Ohre haben?" (B 178). Daß diese Muttersprache den Namen nicht verdient, war Kafka bewußt und begründete sein gespanntes Verhältnis zur Erstsprache sowie seine Fähigkeit, die Eigentümlichkeiten anderer Nationalsprachen zu empfinden und dankbar wahrzunehmen. „[I]ch habe niemals unter deutschem Volk gelebt, Deutsch ist meine Muttersprache und deshalb mir natürlich, aber das Tschechische ist mir viel herzlicher, deshalb zerreißt Ihr Brief manche Unsicherheiten" (M 22).[2]

Das Bewußtsein, in seinem Verhalten auch da, wo es sprachlich nicht impliziert zu sein schien, von Sprache gesteuert zu sein, gehörte zu Kafkas leidhaften Erfahrungen. Vom gereizten Verhältnis zur Mutter schreibt er einmal im Tagebuch, ohne auf den sprachlichen Aspekt dessen anders als mittelbar einzugehen. „Wie ich gegen meine Mutter wüte! Ich muß nur mit ihr zu reden anfangen, schon bin ich gereizt, schreie fast" (T 338, 5.12.1913).

Ein erschütterndes und unverdächtiges Zeugnis für die Rede von der sprachlichen Zwischenwelt avant la lettre bildet der Tagebucheintrag vom 4.10.1911, der für eine persönliche Mißstimmung einen heterogenen Faktor, die Sprache, verantwortlich macht und so deren Primat als Modus der Apperzeption aufzeigt. „Gestern fiel mir ein, daß ich die Mutter nur deshalb nicht immer so geliebt habe, wie sie es verdiente und wie ich es könnte, weil mich die deutsche Sprache daran gehindert hat. Die jüdische Mutter ist keine ‚Mutter', die Mutterbezeichnung macht sie ein wenig komisch (nicht sich selbst, weil wir in Deutschland sind), wir geben einer jüdischen Frau den Namen deutsche Mutter, vergessen aber den Widerspruch, der desto schwerer sich ins Gefühl einsenkt. ‚Mutter' ist für den Juden besonders deutsch, es enthält unbewußt neben dem christlichen Glanz auch christliche Kälte, die mit Mutter benannte jüdische Frau wird daher nicht nur komisch, sondern fremd. Mama wäre ein besserer Name, wenn man nur hinter ihm nicht ‚Mutter' sich vorstellte. Ich glaube, daß nur noch Erinnerungen an das Ghetto die jüdische Familie erhalten, denn auch das Wort Vater meint bei weitem den jüdischen Va-

2. Ähnlich F 249 über die valeur einer tschech. Wendung: Im Vergleich von ‚Knežna' vs. ‚Fürstin' wird das erste Element als liebevoller und zärtlicher empfunden.

ter nicht" (T 115f.). Lebensprobleme werden als Benennungsprobleme erkannt; sie wiederum sind in unterschiedlichen sprachlichen Weltbildern angelegt.

Für Rudolf Kreis[3] reflektiert dieser Beleg die Tatsache der für die frühkindliche Sozialisation kennzeichnenden „Beziehungsfalle" (Bateson), in die auch Kafka geraten sei: Das Kind findet sich einer Kommunikationssituation mit zwei Kanälen ausgesetzt, dem verbalen, über den die Mutter liebevolle Zuwendung artikuliert, und dem aktionalen (mimischen, gestischen), über den die Mutter in derselben Situation eine die erste negierende Information liefert. „Die Mutter-Funktion wird dem Kind unter Umkehrung des Besitzanspruches aufgedrängt. Damit spaltet sich das Wort ‚Mutter' semantisch in zwei gegensätzliche Aussagen: eine ‚zärtliche' und eine ‚tyrannische' " etc. (S. 48). Die Tagebuchnotiz wäre demnach nur scheinbar linguistisch, in Wirklichkeit jedoch ein psychologisches Zeugnis. Skepsis ist am Platze. Erstens ist Kafkas Äusserung nicht referentiell; sie sagt nichts über die Mutter aus, sondern über Sprachen. Sprachsystembedingt unterschiedliche valeurs einer Bezeichnung werden einander gegenübergestellt. Zweitens hat die „Beziehungsfalle" nichts mit den heterolinguistischen Elementen zu tun. Sie ereignet sich ja auch außerhalb einer Sprache. Nun könnte man drittens sagen, für jemanden wie Kafka habe es nahegelegen, die besagte „semantische Aufspaltung" zu einem Unterschied zweier Sprachen zu stilisieren. Dem widerspricht, daß sich diese Äußerung zwanglos in die Reihe diakritischer Aussagen zu Idiomen einfügt, die auch sonst gemacht werden.

Die Erkenntnis, daß der Unterschied zwischen Sprachen nicht der von Schällen und Zeichen, sondern der von Weltansichten selbst ist (Humboldt)[4], dringt verschiedentlich durch. Man fühlt sich an Humboldts Bemerkung von den verschiedenen Namen des Elefanten im Sankrit erinnert[5], wenn aus Roskoffs „Geschichte des Teufels" notiert wird: „Bei den jetzigen Karaiben gilt ‚der, welcher in der Nacht arbeitet', als der Schöpfer der Welt" (T 314). Auch sonst achtete Kafka auf die voneinander abweichenden Weisen der Sprachen, die Welt zu ergliedern. Bekannt war ihm das Phänomen der „Lücke im sprachlichen Weltbild" (Kandler), die man allenfalls im Rückgriff auf die anders besetzte Sprache füllen kann. Er berichtet Ottla vom ersten Blutsturz. „Und nun beginnts. Chrlení, ich weiß nicht, ob es richtig geschrieben ist, aber ein

---

3. Die doppelte Rede des Franz Kafka. Eine textlinguistische Analyse. Paderborn 1976.
4. Über das vergleichende Sprachstudium in Beziehung auf die verschiedenen Epochen der Sprachentwicklung. Flitner/Giel 3, 19 f.
5. Über die Verschiedenheit des menschlichen Sprachbaues und ihren Einfluß auf die geistige Entwicklung des Menschengeschlechts. Flitner/Giel 3, 468.

guter Ausdruck ist es für dieses Quellen in der Kehle" (O 39). Grundsätzlich vergleichbar ist Kafkas Beobachtung regionalsprachlicher Varianten. Gelegenheit dazu bot die Redeweise der Familie Bauer.[6] Doch nicht nur auf den lexikalisch-semantischen Plan als Schauplatz unterschiedlicher Weltbilder fiel Kafkas Blick, er galt auch morphologischen und syntaktischen Daten, umfasste also strukturale Elemente unterhalb der autosemantischen Ebene. Des jiddisch sprechenden Schauspielers Löwy Deutsch war Kafka deshalb befremdlich, weil es Wortbildungsmechanismen des Jiddischen im Deutschen fortsetzte, ohne daß die Resultate von der anders verfahrenden Sprache angenommen worden wären.[7]

Die Vergegenwärtigung der Konsequenzen, die die Tatsache des sprachlichen Weltbildes für Kafka hatte, genügte jedoch nicht, würde nicht noch einmal die Lebenssituation des Autors bedacht. Das Interesse, das sich in den beigezogenen Feststellungen bekundet, war auch *politisch* begründet. Zu erinnern ist eine Situation, in der der Sprachenkampf als Teil des politischen Kampfes zwischen den Angehörigen der Nationalitäten geführt wurde. Auch Martys Sprachwissenschaft reagierte ja darauf. Es ist mehr als der Scherz des übermütig gestimmten Reisenden, wenn Kafka im August oder September 1911 eine Bemerkung des Freundes Brod aufschreibt: „Verwirrung der Sprachen als Lösung nationaler Schwierigkeiten. Der Chauvinist kennt sich nicht mehr aus" (T 601). Was Chauvinismus ist und was er für das sprachliche Zusammenleben bedeuten kann, wußte, wenn jemand, der deutschsprechende Jude aus Prag. Sprachen zu verwirren, um dem Chauvinismus zu wehren, konnte als Mittel ins Blickfeld dessen geraten, der den Hintergrundcharakter der Sprache und ihre Wirkungen als Tatsache seines Lebens erfahren hatte.

§ 13. Sprachlicher Perspektivismus und Totalität der Wahrheit.

Wenn früher gesagt wurde, es kennzeichne die besondere Affinität des Poeten zum Medium, daß er es sowohl euphorisch als auch ablehnend beurteilt, so galt das auch für Kafka, der in dieser Hinsicht exemplarisch ist. Bemerkungen zur grundsätzlichen Mangelhaftigkeit von Sprache stehen neben solchen, die konsequenterweise das Leiden an der Sprache artikulieren, das nicht selten

---

6. F 563, 564, 568.
7. Vgl. auch B 369 über das Deutsch Robert Klopstocks sowie O 67 (auch O 152), daß Sprachmuster das Reden in der Zweitsprache prägen.

darin erfahren wird, daß sich Kommunikation einem prinzipiellen Nichtverstehen annähert. Gleichzeitig aber mit dieser Einschätzung äußert sich nicht nur das Wissen, auf Sprache unabdingbar angewiesen zu sein, sondern auch Sprachhandlungsweisen und Äußerungen begegnen nicht selten, die das Wort vom Sprachoptimismus nahelegen.

Die gegenläufigen Urteile können auf engstem Raume erscheinen. Die betreffenden Wendungen sind in ihrer paradoxen Zuspitzung die deutlichsten Belege der bezeichneten Ambivalenz. „Was bedeutet das, daß Du statt spazierenzugehn Bücher gebunden hast? Und gebunden? Wie denn? Ach Liebste, mit solchen Fragen will ich Dich erfassen? Aber kann ich anders?" (F 177). Daß Bekundungen der Ambivalenz auf getrennte Äußerungen verteilt sind, bildet die andere Möglichkeit. Charakteristisch für das Zugleich von Sprachhaß und Affirmation ist das Nebeneinander der Briefe an Felice vom 18. (zum 19.) 2. 1913 und 17. (zum 18.) 3. 1913: Während zunächst der Verdacht zurückgewiesen wird, die Sprache sei als solche für das Mißlingen von Aussagen verantwortlich, und stattdessen das mit der Perspektivität menschlicher Wahrnehmung gegebene Erkenntnisproblem dafür verantwortlich gemacht wird (F 305 f.), bestreitet das spätere Schreiben (unter Bezug auf den erstgenannten Brief) die adäquate Wiedergabe von Gefühlen durch Sprache.

Der Sachverhalt demonstriert die schon früher erwähnte Dialektik der Sprache, die wiederum Ausdruck der besonderen Verfassung des sprachlichen Zeichens ist. Der Dialektik der Sprache im allgemeinen, ein (unverzichtbares) Regulativ der Beziehungen des Menschen zu seiner Umwelt abzugeben und dadurch zwangsläufig als restriktive Instanz zu wirken, korrespondieren Kategorialität und Konventionalität des Zeichens im besonderen: Das Zeichen (die Sprache) ist aus systematischem wie historischem Grunde Ursache eines Paradoxes, das der Dichter mit besonderer Schärfe empfinden muß. Bestrebt, innovative Erfahrung zu worten, Eigentümliches und Unverwechselbares zu verbalisieren, ist er auf die Form der Ent-Äußerung schlechthin angewiesen.

Mit der historischen Größe soll nicht Dagewesenes eingeholt werden. Dieser Aspekt des Paradoxes wurde in der Zeit mehrfach behandelt. Von seiner Belastung durch die Geschichtlichkeit des Mediums spricht Kafka, der dessenungeachtet — hierin zeigt sich die Dialektik einmal mehr — aus der sprachgeschichtlichen Dimension seine Einbildungskraft beziehen konnte: Seine Zweifel umstünden jedes Wort, ja verdeckten es zunächst. „[A]ber was denn! ich sehe das Wort überhaupt nicht, das erfinde ich!" Der Gebrauch, der von ‚erfinden‘ gemacht wird, verdankt sich dem besonderen etymischen Bewußtsein, durch das sich nicht nur dieser Autor auszeichnet. Im Präfix ist noch die Bedeutung des ahd. ir-, ur- ‚aus, heraus‘ virulent."[...] das erfinde ich Das wäre ja noch das größte Unglück nicht, nur müßte ich dann Worte erfinden können, welche imstande sind, den *Leichengeruch* (Hervorhebung GH) in einer Richtung zu blasen, daß er mir und dem Leser nicht gleich ins Gesicht kommt" (T 27). Hofmannsthals Wort von den „Lügen der Tradition"[1] wurde erwähnt. Eindeutig gerät eine Bemerkung Fritz Mauthners in seinen „Jugenderinnerungen", „daß die Sprache als die Summe der menschlichen Erinnerungen jeden einzelnen Menschen zwingt, beim Denken oder Sprechen die Leichen der Vergangenheit mit sich herumzutragen, daß er diese Leichen oder Gespenster nur mit dem Denken oder dem Sprechen selbst von sich werfen kann, wie seinen Körper nur mit seinem Leben."[2]

Die „Sprache als Ausdruck des begrifflichen Denkens" ist „symbolische Form" (Cassirer). Im sprachlichen Zeichen ist der begriffliche Querschnitt durch die (potentiell unbegrenzte) Menge seiner Konkretionen enthalten. In diesem Sinne „kategorial" zu sein (P. Hartmann) begründet das Paradox, das dem Medium eignet: Der Poet steht vor der prinzipiell unmöglichen Aufgabe, Konkretes im Modus der Abstraktion zu geben.[3]

Eine weitere Überlegung, die nicht mit der Tatsache der Kategorialität arbeitet, wohl aber mit ihr zusammenhängt, bestärkte Kafka in seiner Sprachskepsis. Wo kategorisiert wird, wandelt sich Wesen tendenziell in Beziehung: Nuancen, individualisierende valeurs werden eliminiert, das Zeichen gerät zur kurrenten Münze, zum „Wechsel-Zeddel des Verstandes" (Leibniz) und reduziert sich auf ein problemlos applikables Etikett für Bekanntes — statt an der Grenze der Sagbarkeit neue Bewußtseinswirklichkeit zu erschließen. Nur was restlos quantifizierbar ist, kann von dieser Sprache eingeholt werden. „Die Sprache kann für alles außerhalb der sinnlichen Welt nur andeutungsweise, aber niemals auch nur annähernd vergleichsweise gebraucht werden, da sie, entsprechend der sinnlichen Welt, nur vom Besitz und seinen Beziehungen handelt."[4] Das Ende des Zitats weist auf die mögliche Anregung Kafkas, auf Schopenhauers Ausführungen „Über die vierfache Wurzel des Satzes vom zureichenden Grunde". Kafka spricht davon, daß die Sprache nur von Beziehungen handle. Sprache bildet dem Philosophen zufolge die zweite Klasse von Vorstellungen, die dem Satz unterliegen. Kafkas Dictum wird plausibel, wenn man bei Schopenhauer liest: Der „Satz vom Grunde erklärt Verbindungen der Erscheinungen, nicht diese selbst."[5] Auch Sprache unterliegt demnach grund-

<hr>

1. Prosa I, S. 228.
2. Erinnerungen. I, S. 226.
3. M 43f.: „Sagen Sie nicht, daß zwei Stunden Leben ohne weiters mehr sind als zwei Seiten Schrift, die Schrift ist ärmer, aber klarer."
4. H 45; Nr. 57 der „Betrachtungen über Sünde, Leid, Hoffnung und den wahren Weg."
5. Die Welt als Wille und Vorstellung. Bd. I. 1. Buch, § 15. A.a.O. Bd. 1, S. 123.

sätzlich Kategorien und Formen der Anschauung; will man Aussagen machen, die über den Gültigkeitsbereich des Satzes vom Grunde hinausreichen, bleibt man zu negativ unendlichem Umkreisen des Unsagbaren verurteilt. In der Natur des Zeichens als Symbol liegt die mit der Sprache gegebene Erkenntnisproblematik begründet. Die eigentliche Ursache für Kafkas Sprachproblematik wird sichtbar: Sie ist der andere Aspekt seiner Bewußtseinsproblematik, die ihn in der Agnosie enden läßt.[6] Wie das subjektive Bewußtsein daran gehindert wird, das zu erkennen, was Ganzheit und Wahrheit benannt werden mag, da die an einen point de vue gebundene Sicht nur Perspektiviertes erkennen kann, so bildet Sprache immer nur ausschnittweise ab. Sprachlicher Perspektivismus und Agnosie sind identisch. Dem entspricht, daß Kafkas Romane „Der Prozeß" und „Das Schloß" von der Thematik des beschränkten Bewußtseins und das heißt: des beschränkten, bloß perspektivischen Sagens beherrscht sind. Dem entsprechen ferner seine nicht wenigen Äußerungen zur Problematik von Perspektivismus und Totalität, die er unter sprachkritischem Gesichtspunkt vorträgt.

Berühmt ist das Dictum, das das Problem bildlich faßt: „Unsere Kunst ist ein von der Wahrheit Geblendet-Sein: Das Licht auf dem zurückweichenden Fratzengesicht ist wahr, sonst nichts" (H 46, Nr. 63 der „Betrachtungen [...]"). Einen zunächst ansatzweise hervortretenden Bezug zum Konflikt von sprachlichem Perspektivismus und wahrheitlicher Totalität stellt eine andere Maxime aus demselben Zusammenhang her, die als Legende den berühmten „Prometheus" begleiten könnte, der davon spricht, daß der Mythos den *Wahrheits*grund anvisiere, aber eben deshalb die Unerklärlichkeit respektieren müsse: „Wahrheit ist unteilbar, kann sich also selbst nicht erkennen; wer sie erkennen will, muß Lüge sein" (H 48, Nr. 80 der „Betrachtungen [...]"), oder er erfüllte das Kafkasche Paradox vom Zugleich der archimedischen Erkenntnissituation und der Negation systemimmanenten Daseins und wiederholte das mythische Schicksal der „Brücke" (E 284). Die Brücke konstituiert sich erst in dem Moment, in dem sie in Funktion tritt. Dabei will sie ihrer selbst ansichtig werden. „Und ich drehte mich um, ihn [sc. den Wanderer] zu sehen. — Brücke dreht sich um! Ich war noch nicht umgedreht, da stürzte ich schon, ich stürzte, und schon war ich zerrissen und aufgespießt von den zugespitzten Kieseln, die mich immer so friedlich aus dem rasenden Wasser angestarrt hatten."

6. Manfred Frank und Gerhard Kurz haben darüber kürzlich unter dem Stichwort „Ordo inversus" gehandelt: Ordo inversus. Zu einer Reflexionsfigur bei Novalis, Hölderlin, Kleist und Kafka. In: Geist und Zeichen. Festschrift für Arthur Henkel [...] hrsg. von Herbert Anton, Bernhard Gajek, Peter Pfaff. Heidelberg 1977, S. 75-97.

„Nicht jeder kann die Wahrheit sehn, aber sein" (H 94), und weil jeder sie nur sein kann, aber nicht kognitiv fassen, kann er sich nur im sprachlichen Ungefähr bewegen, das die unmittelbare Entsprechung zu jener Maxime ist. Weil für sie der Satz Flauberts gilt: „Ils sont dans le vrai" (F 637, Anm. 2), bleibt es den Dorf- und Schloßbewohnern verwehrt, Aussagen über die mutmaßliche Behörde zu machen. Auf seine Weise Schloßbewohner ist der Privatmann Kafka, der (F 305f.) den Perspektivismus, durch den der Blick aufs Ganze genommen ist, für das Versagen der Sprache verantwortlich macht — an dieser (F 341 widerrufenen) Stelle nicht bedenkend, daß die Sprache das Organon dieses Perspektivismus ist. Im Rahmen des Flaubertschen Satzes und der Entgegensetzung von „sein" und „sehn" bewegt sich Kafkas briefliche Äußerung gegenüber Brod, daß das Wissen um die Vorgänge auf *einer* Ebene des Babelturmes das Unwissen um das einschließe, was in anderen Geschossen vor sich gehe (B 119). Es kennzeichnet die Durchgängigkeit der Problematik, daß sie sich für epistemologische Überlegungen ebenso stellt wie da, wo eine Aussage zu einem Detail alltäglichen Lebens korrigiert wird, weil der „Überblick" (B 174, ähnlich M 72) fehlt.

„Mehr als Kleinigkeiten kann man mit bloßem Auge dort, wo Wahrheit ist, nicht sehn" (B 142). Es bedarf nicht einmal der Annahme, „sehn" werde verwendungssynonym für ,erkennen' gebraucht. Daß „sehn" sprachlich prädisponiert ist, weiß der, der dies sagt. Partien im „Schloß" zeigen das (hier S. 110ff.). Der Agnosie entspricht das stetige Umkreisen der Warheit unmittelbar; ihr entspricht ebenso die habituell gewordene Selbstkorrektur, die für Kafkas Texte signifikant ist; des Dichters alltägliches Sprachhandeln ist prinzipiell unter denselben Gesichtspunkt zu stellen. Die potentiellen Belege mögen auf den ersten Blick wegen ihrer Vordergründigkeit nicht überzeugen. An Interesse gewinnen sie für eine Betrachtung, die an ihnen die Kontinuität des Problems erkennt. Der Zusammenhang von Erkenntnisproblematik und Sprachverwendung tritt auch da hervor, wo Tagesangelegenheiten behandelt werden (F 563; T 21, 27, 56; B 174, 259, 261, 302).

Sprachliches Umkreisen und Selbstkorrektur des Sprechens sind aus der Not entstandene Verfahren und lassen ihre definitive Fragwürdigkeit nie in Vergessenheit geraten. „Wäre nur einer imstande, ein Wort vor der Wahrheit zurückzubleiben, jeder [...] überrennt sie mit hunderten" (H 360). Das sagt, wer die begrenzte epistemologische Potenz der Sprache erkannt hat. Bekundungen der Skepsis gegenüber der Erkenntnisleistung des Mediums sind häufig und oft genug zitiert worden. Die Antinomie der arrheta rhemata ist nicht das Problem des „literarischen" Kafka. Die Identität von Leben und Schreiben ist auf beiden Ebenen seiner Existenz zu konstatieren. „Nun sind [...] meine Briefe wahr oder wenigstens auf dem Wege zur Wahrheit, was täte ich erst vor

Deinen Antworten, wenn meine Briefe erlogen wären. Leichte Antwort: ich würde verrückt werden. Dieses Wahrreden ist also kein sehr großes Verdienst, es ist ja auch so wenig, ich suche immerfort etwas Nicht-Mitteilbares mitzuteilen, etwas Unerklärbares zu erklären, von etwas zu erzählen, was ich in den Knochen habe und was nur in diesen Knochen erlebt werden kann" (M 249).[7] Die Durchgängigkeit der Sprachkritik besteht nicht allein zwischen den Werkstufen (Poesie und werkbegleitende Äußerungen), sie ist auch in chronologischer Hinsicht gegeben. Darin besteht (in diesem Zusammenhang) der besondere Wert des Album-Eintrags aus dem Jahre 1900, der die Briefsammlung (in ihrer derzeitigen Form) einleitet (B 9); er stuft bekanntlich die Worte als schlechte Bergsteiger und schlechte Bergleute ein.[8]

Den Mund zu halten, „um nur ein wenig bei der Wahrheit zu bleiben" (M 250), ist die Konsequenz, die Kafka aus seiner fundamentalen Sprachskepsis zieht. Zwar bleibt er, wenn er schweigt, „nur ein wenig" bei der Wahrheit; aber das Schweigen ist dem Reden insofern vorzuziehen, als es die „Wahrheit" in ihrer Möglichkeit beläßt, statt sie redend zu perspektivieren und zu verendlichen. In diesem Sinne ist Schweigen erstrebenswert: „Stummheit gehört zu den Attributen der Vollkommenheit" (BK 340).

§ 14. Metaphorologie.

„Die Metaphern sind eines in dem vielen, was mich am Schreiben verzweifeln läßt (T 550). Die Entschiedenheit dieser berühmt gewordenen Bemerkung darf nicht darüber hinwegtäuschen, daß sich in der Beurteilung metaphorischen Sprechens ebenfalls die Ambivalenz zeigt, die Ausdruck der Dialektik von Kreativität und Restriktion in der Sprache ist. Man kann sogar dies sagen: An dem Punkte, an dem für das Empfinden des Poeten der Gipfel der Uneigentlichkeit erreicht ist, schlägt das Gefühl des Ungenügens, systematisch betrachtet, in die Affirmation des Uneigentlichen und seine Mehrung um.

---

7. Vgl. auch die auf Kafka selbst bezogene Äußerung: „Vielleicht läßt sich das, was er zu sagen hat, gar nicht schreiben [...] (F 149).
8. Weitere Belege zur Sprachskepsis: B 9f., 130; F 337, 341, 348; T 27, 34, 161f., 164, 186f., 190, 192, 212, 216, 329, 460, 480, 498.

Die Mittelbarkeit des Seinszuganges über die Sprache gibt sich im vergleichsweisen Reden, zu dem auch die Metapher zu rechnen ist, unverhüllt zu erkennen. Die Leistung von Vergleichen ist begrenzt (M 228), aber nicht begrenzter als die des Mediums überhaupt: Sichtbar wird lediglich, was sonst nur indirekt erschlossen werden kann: Zwischen den Aussagegegenstand und den Erkenntnissuchenden schiebt sich eine von der Sprache suggerierte Sehweise. Für den Dichter, der sich ein etymisches Verhältnis zur Sprache bewahrt hat, ist diese Einsicht schockierend. Kafkas metaphorische Bewußtheit war stark ausgeprägt. Zahlreiche Zeugnisse belegen seine Einsicht, nicht mit der Welt, sondern formulierter Welt konfrontiert zu sein. Deutlich angesprochen ist der Zusammenhang von Epistemologie und Sprachkritik im „Gespräch mit dem Beter" (E 186), worin der Gebrauch von Metaphern zum Symptom der Agnosie wird. Erkenntnisdefizit und Sprachdefizit sind identisch. Metaphernkritik wird ebenfalls im „Gespräch mit dem Betrunkenen" (E 191) geübt. Metaphern dokumentieren die Unerfindlichkeit der Wahrheit.[1] — Wenn sich die Schloß-Welt in Worte auflöst und im Hören-Sagen versinkt, so wird damit lediglich auf poetische Ebene projiziert, was (sogenannte) vorliterarische Erfahrung längst bereitgestellt hat.

Zugleich ist Kafka Metaphoriker von Graden. Er macht nicht allein seine Kritik an der Metapher zum Movens poetischer Gestaltung, indem er ihren gegenständlichen Gehalt restauriert; seine Lust an der Erfindung neuer Metaphern und ganzer Metaphernfelder ist unverkennbar.[2] Ohne metaphorische Begabung wäre der „Prozeß" in dieser Weise nicht verwirklicht worden. Unter Absehung von einzelnen Bildungen[3] wird auf das Feld der juridischen Metaphorik hingewiesen (z.B. M 14, 67, 244, 247), das im Roman literarisch wird. (So besehen, kann ein weiterer Bereich der von Janouch überlieferten Aussagen Kafkas als authentisch gelten, es sei denn, man nehme an, Janouch habe die betreffenden Äußerungen nach seiner Kenntnis des Textlexikons konstruiert.)

Vorrangig denjenigen, der vorführt, wie man, durch Sprache inspiriert, ein Werk entfalten kann, sieht Kafka in Schopenhauer (J² 122). In dieser Einschätzung tritt der andere Aspekt der Kafkaschen Sprachkritik hervor. Nicht nur notgedrungen ist der Poet auf die Sprache angewiesen. Bedingung seines Schaffens ist sie dank ihrer kreativen Potenz, von der Kafka weniger spricht, als daß

1. Vgl. Hillmann, a.a.O., S. 141f.
2. In den meisten der hierher gehörenden Zeugnisse wird das Hervortreten der metasprachlichen Funktion bloß graphisch (ironisierende Anführungszeichen) erreicht, in den restlichen erfolgt der Wechsel ausdrücklich (B 177; T 499, 582, 675).
3. F 91; M 45, 50, 199f., 250; B 9, 320, 339; T 157, 552.

er sie im Werk vorführt. So verstanden, ist seine Dichtung immanente Sprachhuldigung. Die expliziten Würdigungen im Umfeld des primären Werkes sind mit weitem Abstand die wenigeren. Eher beiläufig, aber nicht unwichtig ist der Hinweis (T 137), dem man entnimmt, auch ein Gegenstand der Freude habe Sprachliches sein können. Ungleich wichtiger ist die Zusammenführung von Leben und Sprache in dieser Äußerung: „Ich kann es nicht verstehn und nicht einmal glauben. Ich lebe nur hie und da in einem kleinen Wort, in dessen Umlaut (oben ‚stößt') ich zum Beispiel auf einen Augenblick meinen unnützen Kopf verliere. Erster und letzter Buchstabe sind Anfang und Ende meines fischartigen Gefühls" (T 60). Und der Gedanke erscheint ihm nicht abwegig, daß Worte magische Kraft entfalten. Die an Eckhart skizzierte Aussagenkonstellation wiederholt sich. „Es ist sehr gut denkbar, daß die Herrlichkeit des Lebens um jeden und immer in ihrer ganzen Fülle bereitliegt, aber verhängt, in der Tiefe, unsichtbar, sehr weit. Aber sie liegt dort, nicht feindselig, nicht widerwillig, nicht taub. Ruft man sie mit dem richtigen Wort, beim richtigen Namen, dann kommt sie. Das ist das Wesen der Zauberei, die nicht schafft, sondern ruft" (T 544).

Die Erfahrung, daß die Sprache zumindest eine partielle Autonomie besitzt und sich diese Autonomie gestaltprägend äußert, war Kafka vertraut. Im Tagebuch vom 3.7.1913 (T 308) ist eine reizvolle Notiz erhalten, daß im Schreiben Wichtiges verlorengehe, aber Wichtiges sich neu bilde. Neuere Maler haben verschiedentlich unmißverständlich beschrieben[4], daß die Werkgenese ihre eigene Dynamik entfalte. Die Eigengesetzlichkeit des Mittels hinterläßt ihre Wirkungen. Vom Konflikt der Autonomien (von Sach- und Sprachwelt) spricht Kafka; seine Äußerung gipfelt in der Anerkennung der kreativen Dimension des Mediums. „Wenn ich etwas sage, verliert es sofort und endgültig die Wichtigkeit, wenn ich es aufschreibe, verliert es sie auch immer, gewinnt aber manchmal eine neue" (T 308). Dazu stimmt, daß Kafka bei nachheriger Lektüre die tiefere Bedeutung von Namensformen in der Erzählung „Das Urteil" (E 23) entdeckte (F 53, 394; T 297).

---

4. André Masson, Willem de Kooning, Antonio Saura: Jürgen Claus (Hrsg.), Theorien zeitgenössischer Malerei. Reinbek 1967[2] (= rde. 182), S. 18, 113, 119.

§ 15. Strukturale Disposition des Sprachhandelns.

Auch hinsichtlich der strukturalen Prägung des Sprechens gilt die Bemerkung über die prinzipielle Einheit von Sprache und Dichtersprache. Über die strukturale Aufbereitung des Wortschatzes und die dialektisch funktionierende Bedeutungsbildung hat de Saussure gehandelt: „Dans la langue, il n'y a que des différences."[1] Danach griffe man mit dem Hinweis auf die besondere strukturale Disposition *dichterischen* Sprechens ins Leere. Dennoch hat er seine Berechtigung. Erstens muß daran erinnert werden, daß die Schwächen der Umgangssprache zu einem erheblichen Teil daraus resultieren, daß sprachinterne Oppositionen vernachlässigt werden. Das gilt für sämtliche Sprachebenen. Zweitens: Die Sicherheit des dichterischen Wissens um die Strukturiertheit des Sprachmaterials ist, wie mehr als einmal konstatiert werden kann, so souverän, daß sie auch als nicht reflektierte ihre Wirkung zeigt. Die Macht der Sprachinspiration macht sich darin bemerkbar, daß der Autor, ohne daß ihm dies immer bewußt wäre, am Leitfaden sprachimmanent vorhandener Daten zu seinen Figurationen gelangt. Drittens: Das ausführlich geratende willentliche Nachdenken über sprachinterne Oppositionen und deren Relevanz für die Erhellung (auto- oder syn-) semantischer Relationen bestätigt die Vermutung der besonderen strukturalen Disposition des Poeten. Für sie sprechen Kafkas einschlägige Überlegungen zu lexikalischer Semantik, Wortbildung, Syntax und Phonologie.

Keineswegs nur in den werkbegleitenden Äußerungen wird diese Disposition sichtbar. Für den, der erkannt hat, daß es in Kafkas primärem Werk sprachlich unbedachte Setzungen nicht gibt, tritt sie allenthalben hervor. Der besondere Anschauungswert der hier revidierten sekundären Belege besteht darin, daß konkret wird, was in referentieller oder auch poetischer Rede (soweit in ihr referentielle und poetische Funktion co-dominant sind) weitgehend verdeckt bleibt, während in den sekundärer Rede entstammenden Belegen die hier interessierende Weise, auf Sprache zu reflektieren, erhellt. Zu betonen ist, daß das strukturale Bewußtsein nicht nur intuitiv bleibt, sondern expressis verbis hervortreten kann. „Manchmal verstehe ich nicht, wie die Menschen den Begriff ‚Lustigkeit' gefunden haben, wahrscheinlich hat man ihn als Gegensatz der Traurigkeit nur errechnet" (M 236): Statt aus der Relation zu „Sachen" zu entstehen, kommt der Bewußtseinsgegenstand systemimmanent zustande.

---

1. Cours de linguistique générale. Hrsg. von Charles Bally und Albert Sechehaye. Paris 1966, p. 166.

Bekannt ist, daß sich Kafka bei der nachmaligen erneuten Lektüre des „Urteils" einer strukturalen Entsprechung zwischen den poetischen Namen und solchen der außerliterarischen Realität bewußt wurde. Darüber berichtet er mehrere Male (F 53, 394; T 297). An der ausführlichsten Stelle heißt es: Die Erzählung „ist zu einer Zeit geschrieben wo ich Dich zwar schon kannte und die Welt durch Dein Dasein an Wert gewachsen war, wo ich Dir aber noch nicht geschrieben hatte. Und nun sieh, Georg hat so viel Buchstaben wie Franz, ‚Bendemann' besteht aus Bende und Mann, Bende hat so viel Buchstaben wie Kafka und auch die zwei Vokale stehn an gleicher Stelle, ‚Mann' soll wohl aus Mitleid diesen armen ‚Bende' für seine Kämpfe stärken. ‚Frieda' hat so viel Buchstaben wie Felice und auch den gleichen Anfangsbuchstaben, ‚Friede' und ‚Glück' liegt auch nah beisammen. ‚Brandenfeld' hat durch ‚feld' eine Beziehung zu ‚Bauer' und den gleichen Anfangsbuchstaben" (F 394). Von der Kontiguitätsbeziehung ‚Feld' — ‚Bauer' und der Paronomasie ‚Frieda' — ‚Friede' abgesehen, stehen die von Kafka angesprochenen Wortpaare in paradigmatischen Beziehungen zueinander. ‚Georg' — ‚Franz' sowie ‚Bende' — ‚Kafka' bilden Glieder von Paradigmen, deren Tertium dieselbe Buchstabenzahl ist. Das gilt auch für das Paar ‚Frieda' — ‚Felice'. Die beiden zuletzt genannten Beispiele unterliegen einer weiteren paradigmatischen Äquivalenz. Im ersten Fall ist es die strukturale Gleichheit der Vokalabfolge, im zweiten stiftet der identische Anfangsbuchstabe das Paradigma. Das wiederholt sich in der Relation ‚Brandenfeld' — ‚Bauer'. Schließlich gehören ‚Felice' (‚die Glückliche, Glückbringende') und ‚Glück' unter der Voraussetzung, daß man den Sinn des Namens bedenkt, in dieselbe (von Coseriu so genannte) sekundäre paradigmatische Struktur. (Die Eigenschaft, Elemente einer Wortfamilie darzustellen, gilt auch für M 258: ‚Hut' — ‚behütet'.)

Weitgehend sind die vorgeführten Beziehungen phonologischer Natur. Der lexikalisch-semantische Plan bleibt peripher. Das ist nicht immer so. Lexikalisch-semantische Reihenbildungen (Distinktionen) kommen mehrfach vor. Besonders eindrucksvoll ist die Stellungnahme Kafkas zu einem Detail in einer Übersetzungsarbeit Robert Klopstocks: „[I]ch würde ‚schleppen' wählen, auch ‚ziehen' enthält Qual und ist abseitiger. ‚bewegen' wäre ohne diese Qual — Dieses Ganze: ‚ziehen' und ‚Spur hinterlassen' erinnert zu sehr an kriechende Raupen" (B 458). Andere Zusammenstellungen sind ‚veranlassen' — ‚verursachen' (F 583), ‚Meinung' — ‚Äußerung' (B 269), ‚anregen' — ‚aufregen' (B 280), ‚Angst' — ‚Unbehagen' (T 203) und ‚Schüchternheit' — ‚Bescheidenheit' — ‚Ängstlichkeit' (T 558). — Für dieses Denken in Assoziationsfeldern (Bally) wird zuletzt ein aus anderen Gründen sonst viel zitierter Beleg herangezogen, in dem ein Grundwort über die Assoziation einer phraseologischen Wendung ein Bild herbeiruft: „Meine Absicht war, wie ich jetzt sehe, einen Dickens-Roman zu schreiben, nur bereichert um die schärferen Lichter, die ich der Zeit entnommen, und die matten, die ich aus mir selbst aufgesteckt hätte" (T 536). Der Anteil des Spieles mit der Polysemie ist unverkennbar. Der nachfolgende Beleg für die Wirkung eines Wortbildungsparadigmas ist auch wegen seines frühen Datums von Interesse (‚Bergsteiger' — ‚Bergmänner', B 9). Belegt dieser Fund eher das Vergnügen, mit Sprache spielerisch umzugehen, beansprucht ein Beispiel für die strukturale Bewertung grammatikalisch-syntaktischer Daten Beachtung, weil es den Einblick in die semantische Potenz synkategorematischer Sprachmittel dokumentiert. Ein Brief an Milena bietet einen Ausschnitt aus einem syntaktischen Feld. Ausgangspunkt ist die Bemerkung der Frau: „nemáte síly milovat" (‚Ihr habt nicht die Kraft zu lieben'). Kafka antwortet: „Was Du, Milena, von den Leuten schriebst, nemáte síly milovat, war richtig, auch wenn Du es beim Niederschreiben nicht für richtig gehalten hast. Vielleicht besteht ihre Liebeskraft nur darin, geliebt werden zu können. Und auch darin gibt es noch für diese Leute eine abschwächende Unterscheidung. Wenn einer von ihnen zu seiner Geliebten sagt: ‚Ich glaube es, daß Du mich liebst', so ist das etwas ganz anderes und viel geringeres, als wenn er sagt: ‚Ich werde von Dir geliebt.' Aber das sind ja keine Liebenden, das sind Grammatiker" (M 228f.). Das Gespür für struktural gesicherte Oppositionen bewährt sich, während der gewöhnliche Sprecher dazu neigt, in den beiden Möglichkeiten des Genus verbi lediglich fakultative Varianten zur „Einkleidung" eines vorsprachlich feststehenden Sachverhalts zu sehen.

Unter die hier thematisierte Rubrik können auch diejenigen Äußerungen subsumiert werden, die auf Grund von Polysemie möglich wurden; die Identität der signifiants (de Saussure) kann dabei als die paradigmenschaffende Größe angesehen werden. Gemeint sind Fälle wie: „Ich könnte gleich wieder von neuem anfangen, aber was finge Berlin damit an" (B 302) und: „Die Peitschen, mit denen wie einander hauen, haben gut Knoten angesetzt in den fünf Jahren" (T 534).[2]

Von besonderem Anschauungswert sind die Beobachtungen, die Hartmut Binder zu Kafkas Hebräisch-Studien gemacht hat.[3] Von Bedeutung für die Annahme von Kafkas sprachstrukturierendem Denken ist die von Binder konstatierte „auffallende Systematisierungstendenz" (S. 537) in seinen Vokabelheften. Binder schreibt: „Das Bemerkenswerte ist [...], wie Kafka einerseits teils

---

2. Weitere Belege: T 563 („verlassen haben" vs. „verlassen sein"); O 42 („Augenaufschlagen"); B 155 („neu"); M 57 („ernst").

3. Kafkas Hebräisch-Studien S. 527-556.

in der Fülle der Stammesableitungen über das Lexikon hinausgeht, teils überhaupt Wörter festhält, die dort gar nicht vorkommen, und andererseits die Systematisierung über die Grenzen des etymologisch Zusammengehörigen hinweg ausweitet: Die Wortprägung ‚saure Milch' zieht ‚geronnene Milch', ‚Milchfrau', ‚Milchhalle', ‚Rahm', ‚Milchstraße' und ‚Milchzahn' nach sich. Nicht nur ‚Postwagen, Postverkehr, Post', ‚Postamt', ‚Postbeamter', ‚Paket', ‚Briefkasten', ‚werfen', ‚Karte', sondern auch ‚einhüllen', ‚Kouvert', ‚Adresse', ‚kleben', ‚Marke', ‚bringen' und ‚Briefträger' werden aufgeschrieben. Ist in diesem Fall das Bestreben sichtbar, einen ganzen Lebensbereich zusammenzufassen, so versucht Kafka an anderen Stellen, das einzelne Wort auf einen Oberbegriff zu beziehen und dessen Bedeutungsfeld dann vokabelmäßig abzuschreiten. Der Vokabel ‚Stirn' werden deshalb sämtliche Bezeichnungen für Teile des Gesichts beigefügt, der ‚Pappel' die Benennungen für andere Baumarten" (ebd. S. 537f.). Es wird also keineswegs nur das Prinzip des hebräischen Lexikons fortgesetzt, das die Wörter unter Wurzeln zusammenstellt. Nach Maßgabe der primären lexematischen Struktur ‚Wortfeld' wird Sprachmaterial revidiert, oder es erfolgt die Aufbereitung in Sinnbezirken und Assoziationsfeldern. Charles Bally hätte das von Binder bekanntgemachte Wortmaterial ohne Abstriche übernehmen können, um seinen Begriff des „champ associatif"[4] zu exemplifizieren.

§ 16. *Poetische Zellen.*

Die Anklagen gegen die Sprache bedeuten den einen Aspekt der Dialektik. Den anderen vertreten weniger explizite Äußerungen als sprachliche Praktiken, die die Kreativität des Mediums dokumentieren und Sprachinspiration als eine Möglichkeit der Einbildungskraft herausstellen, die nicht nur für Kafkas Dichten, sondern auch für seine alltägliche Sprachpraxis wichtig war. Betreffen die unter „strukturaler Disposition" behandelten Operationen Möglichkeiten der Gestaltung, die systembedingt sind, so resultieren etymologisierende bzw. pseudologisierende Manipulationen sowie die für Kafka charakteristische Reduktion von Metaphern und uneigentlichen Wendungen aus der Betrachtung der historischen Dimension.[1]

4. L'arbitraire du signe. Valeur et signification. In: Le Français Moderne 8, 1940, p. 193-206, p. 195 suiv.

1. T 27 („erfinden"); M 14 („Gericht, gerichtet, Recht"), M 40 („entsetzt sein"), M 126 („tajemné" etc.); J² 74 („Dichtung"), 94 („Dichter"), 120 („Zeichnung"), 144 („Ungerechtigkeit"), 240 („Sinnlichkeit"), 241 („Wüstling").

Die Zurückführung von Metaphern auf ihren ursprünglichen bildlichen Gehalt ist mehrfach interessant. Während dem gewöhnlichen Sprecher deshalb oft nicht bewußt ist, eine Metapher zu verwenden, weil sie längst in eine andere Bedeutungsbeziehung eingetreten ist und so die Transparenz auf ihren Ursprung verloren hat, bewahrt sich dem Poeten das Wissen um frühere Sprachzustände.

Erneut bestätigt sich die Annahme einer prinzipiellen Einheit von Sprache und Dichtersprache. Wenn Kafka als „vorliterarisch" Sprachhandelnder bei beliebigen Anlässen Metaphern ┐eduziert, verhält er sich nicht nur *wie* beim poetischen Schaffen, sondern er handelt poetisch, indem er die einbildende Kraft des Mediums vor Augen führt. Die Dominanz der poetischen Sprachfunktion macht sein alltägliches Sprachhandeln (in Gesprächen, Briefen und Tagebuchaufzeichnungen) zu einer Form seiner Poesie. Poetische Zellen durchsetzen Kafkas Sprache auch da, wo sie nicht dichterisch intendiert ist. Dichtungen in nuce liegen an solchen Stellen vor. Die Keimzelle einer (nicht ausgeführten) Figuration kann e.g. darin gesehen werden, daß es anläßlich der Erinnerung an die Tuberkulose von Flauberts Vater heißt: „Entweder geht dem Kinde die Lunge flöten (sehr schöner Ausdruck für die Musik, um derentwillen der Arzt das Ohr an die Brust legt) oder es wird Flaubert" (T 534).

Solange sie Teil des Tagebuches sind, ist nicht zu entscheiden, ob solche Zellen Dichtung oder Elemente alltäglicher Sprache sind. Sind sie auch prinzipiell poetisch, so entscheidet doch erst der pragmatische Rahmen, ob die betreffenden Zeilen Poesie sind. Auf die Dichtung weist ein Beleg wie der folgende lediglich, weil er im Kontext einer Erzählung („In der Strafkolonie") steht. „Der Reisende fühlte sich zu müde, um hier noch etwas zu befehlen oder gar zu tun. Nur ein Tuch zog er aus der Tasche, machte eine Bewegung, als tauche er es in den fernen Kübel, drückte es an die Stirn und legte sich neben die Grube. So fanden ihn zwei Herren, die der Kommandant ausgeschickt hatte, ihn zu holen. Wie erfrischt sprang er auf, als sie ihn ansprachen. Die Hand auf dem Herzen, sagte er: ‚Ich will eine Hundsfott sein, wenn ich das zulasse.' Aber dann nahm er das wörtlich und begann, auf allen Vieren umherzulaufen" (T 524F.). Zwischen diesem Beleg und dem zuvor Zitierten besteht in poetologischer Hinsicht kein prinzipieller Unterschied. Für die Einheit von Kafkas Verfahren, das in jedem Falle elementar poetisch ist, zeugen die nicht wenigen Stellen in seinen Briefen, an denen manchmal verdeckt, meist aber offenkundig im Wissen um die zwei Ebenen metaphorischer Wendungen geschrieben wird. Den Typus repräsentiert: „[...] neue Dinge, neues Ziel, da ist es doch fast gut, zunächst ein wenig gebunden zu sein, man ginge doch sonst in Fransen. Und diese angebliche Freiheit in Teplitz war doch vielleicht eher ein Gebundensein mit den allerkürzesten Hand- und Fußketten, war eher Ohnmacht als Freiheit" (B 278).[2] Eine Setzung erfolgt, ihr ursprünglich metaphorischer Charakter wird bedacht, der bildliche Gehalt wird reaktiviert, das Bild ergänzt sich mehr oder weniger: Die poetische Zelle ist geschaffen.

§ 17. Bildliche Umsetzung sprachlicher Qualitäten.

Über eine weitere in werkbegleitender Rede häufige Weise poetischer Ideenfindung ist zu handeln. Von rhythmischen und phonetischen Sprachdaten, auch vom Redestil bisweilen beeindruckt, gelangt Kafka zu neuen Imaginationen. Bildliche Umsetzungen sprachlicher Qualitäten gehören im engeren Sinn zum Problemkreis von Sprachreflektion als dichterischer Einbildungskraft. Wie angesichts der Vergegenständlichung uneigentlicher Wendungen bietet sich auch hier das Wort von poetischen Zellen an. Die betreffenden „synästhetischen" Vorgänge demonstrieren erneut, daß sich aus einem minimalen sprachlichen Detail und der Reflexion darauf poetische Miniaturen bilden können. „,,Wenn er mich immer frägt.' das ä, losgelöst vom Satz, flog dahin wie ein Ball auf der Wiese", lautet der früheste Beleg, der zweite Eintrag ins Tagebuch (T 9). Welches Zeugnis das eindrucksvollste sei, ist kaum zu entscheiden. Genannt werden sollten ein Satz aus dem Tagebuch vom 15.12.1910 und eine etwas längere Passage aus einem Brief an Ernst Pollak vom 20.12.1902: „Kein Wort fast, das ich schreibe, paßt zum andern, ich höre, wie sich die Konsonanten blechern aneinanderreiben, und die Vokale singen dazu wie Ausstellungsneger" (T 27). Der Brief erzählt „vom schamhaften Langen und vom Unredlichen in seinem Herzen" (B 14). Der Unredliche spricht, und „die Worte gingen aus seinem Mund. Das waren feine Herren mit Lackschuhen und englischen Halsbinden und glänzenden Knöpfen, und wenn man sie heimlich fragte: ‚Weißt du, was Blut aus Blut ist?', so antwortete einer anzüglich: ‚Ja, ich habe englische Halsbinden.' Und kaum waren die Herrchen aus dem Munde draußen, stellten sie sich auf die Stiefelspitzen und waren groß, dann tänzelten sie zum Langen hin, kletterten zwickend und beißend an ihm hinauf und stopften sich ihm mühselig in die Ohren" (15f.). Der Text, aus dem

---

2. Weitere: B 150 „Peinlichkeit" (mit Bezug auf die „Strafkolonie", s. u. S. 90), 193 „so hoch stellen, daß"; 213 „fassen", 353 „nehmen"; F 151 „in der Hand sein", 682 „hartköpfig"; M 11 „nicht atmen können", 47 „handgreiflich", 90 „in die Hand geben".

diese Zeilen stammen, erscheint nicht unter den „Sämtlichen Erzählungen."
Das sagt nichts über den poetischen Rang der Ausführungen.[1]

§ 18. Identität von Schreiben und Leben.

Wie Sprache und Dichtersprache eine Einheit bilden, so sind auch alltägliche Existenz und Dichten insofern zusammenzusehen, als sie beide sprachgebunden sind. Der Verbalismus des Erlebens findet einmal knappen wie deutlichen Ausdruck: „Ich lebe nur hie und da in einem kleinen Wort [...]" (T 60). Auf Grund des Handschriftenmaterials konnte Pasley bekanntlich veranschaulichen, daß der Vorgang des Schreibens Bedingung der Entstehung von Kafkas poetischen Einfällen war.[1] Von der „mit Aufgabe des Schreibens sofort eintretende[n] Schwerfälligkeit des Denkens" berichtet das Tagebuch (T 458). Die Bemerkung wirkt wie eine Legende zu Pasleys Beobachtungen.

Es ist kein Zufall, daß Kafka ausgerechnet in einem Brief an Felice das Schreiben als seine einzige innere Daseinsmöglichkeit bezeichnet. „Könnte ich schreiben, Felice! Das Verlangen danach brennt mich aus. Hätte ich genug Freiheit und Gesundheit vor allem dazu. Ich glaube, Du hast es nicht genug begriffen, daß Schreiben meine einzige innere Daseinsmöglichkeit ist. Es ist kein Wunder, ich drücke es immer falsch aus, erst zwischen den innern Gestalten werde ich wach, darüber aber, über mein Verhalten nämlich, kann ich nicht überzeugend schreiben und nicht reden" (F 367). Dazu, daß Leben und Schreiben identisch sind, steuert der Briefwechsel mit Felice nicht bloß Hinweise bei; er ist die Manifestation dieser Identität. Wie Kafka manchmal nur in einem einzigen Wort lebt, so verwirklicht sich ihm die Liebesbeziehung, wenn er sie schreiben kann. Insofern bildet diese Korrespondenz Verdichtung und tragische Zuspitzung seines Grundproblems. Im Wort von der „erschriebene[n] Nähe" (F 204) wird es deutlich, und nicht nur an der Stelle wird es ar-

1. Weitere: F 93 „adieu", 342 „Felice";; M 48 „Jste žid?", 49 „nechápu", 55 „Milena", 159 „trotzdem"; B 88 „Der Tag der Vergeltung".
Kafkas Gewohnheit, die ästhetische Qualität sprachlicher Elemente bildhaft zu erleben und sich durch sie zu Gestaltungen inspirieren zu lassen, hat ihr Pendant in dem Abschnitt „Ortsnamen. Namen überhaupt" von „In Swanns Welt 2": M. Proust, Auf der Suche nach der verlorenen Zeit. werkausgabe suhrkamp Bd. 2. Frankfurt/M. 45.-48. Tsd. 1974, S. 512f., 514.
1. A.a.O.

tikuliert. Verbalisierung vertritt die erlebte Beziehung. „Zu dem Tagebuch-schreiben habe ich doch keinen rechten Mut, Felice. (‚Fe‘ will mir nun wieder nicht aus der Feder, es ist für Mitschülerinnen gut, für flüchtige Berührungen; Felice ist mehr, ist schon eine ordentliche Umarmung, und ich, der ich auf Worte angewiesen bin, hier und von Natur aus, darf solche Gelegenheiten nicht versäumen.)“ (F 341f.). Das Aperçu findet in Canettis Ausführungen zu dem Briefcorpus[2] eine Bestätigung. Canetti sagt, „daß Liebe bei Kafka [...] durch sein geschriebenes Wort entstand. Als die drei wichtigsten Frauen in sei-nem Leben muß man Felice, Grete Bloch und Milena nennen. Bei jeder der drei entstanden seine Gefühle durch Briefe.“ Eine pragmatische Deutung, die auf die räumliche Distanz der Liebenden wiese, um die Notwendigkeit des Briefwechsels zu begründen, hätte nur vordergründig Recht. Man könnte ihr mit dem Hinweis auf die Realisierbarkeit des Zusammenlebens entgegentre-ten. Umgekehrt gilt: Die Entfernung war die Kondition dieser ans Schreiben gebundenen Liebe. Was die Liebe hätte schaffen können, wäre allenfalls das Schreiben gewesen, und selbst das versagte. Dem Brief vom 20.4.1913 mangelt es nicht an Deutlichkeit. „Mein heutiger Brief vom Nachmittag wird angeris-sen ankommen, ich habe ihn auf dem Weg zum Bahnhof angerissen aus ohn-mächtiger Wut darüber, daß ich Dir nicht wahr und deutlich schreiben kann, nicht wahr und deutlich, wie ich es auch versuche, daß es mir also nicht ein-mal im Schreiben gelingt, Dich festzuhalten und *irgendwie Dir meinen Herz-schlag* mitzuteilen und daß ich dann also auch über das Schreiben hinaus nichts erwarten darf“ (F 368).[3]

2. Elias Canetti, Der andere Prozeß. Kafkas Briefe an Felice. In: Die Neue Rundschau 79, 1968, 2, S. 185-220, S. 217.
3. Vgl. auch: F 92, 177, 448, 652. Daß sich das Problem prinzipiell in der Beziehung zu Milena wiederholt, ist offenkundig: M 39, 61, 75.

Teil III: Sprachreflexion als poetische Einbildungskraft.

§ 19. Einleitende Bemerkungen. „Die Sorge des Hausvaters".

Nach der Revision der Daten, die daran mitgewirkt haben können, Kafkas sprachkritisches Bewußtsein zu formieren, sowie der Erhebung seines Sprachdenkens aus den (sogenannten) werkbegleitenden Äußerungen bildet auf den folgenden Seiten Kafkas Poesie im engeren Sinne den Gegenstand der Frage nach der Sprachreflexion als dichterischer Einbildungskraft. Die Untersuchung erfolgt in zwei Phasen. Zunächst wird ein Ausschnitt aus Kafkas Dichtung leistungbezogener Betrachtung unterzogen und „als *Akt*, als *Prozeß*, als *Entfaltung von Sprachkraft*"[1] vorgeführt. Unter dem Aspekt des „Wortens der Welt" wird an der Erzählung „Die Sorge des Hausvaters" (E 139f.) exemplifiziert, daß die Stiftung von Erkenntnis mit der Fähigkeit des Mediums identisch ist, Bewußtseinswirklichkeit zu erzeugen. Sprache an der Arbeit zu zeigen ist eine hervorragende Eigenschaft des genannten Textes.

Die anschließenden Bemerkungen sind das Ergebnis wirkungbezogener Betrachtung. „Die *Wirkungen der Sprache* setzen systematisch an der Stelle an, wo die Welt gewortet ist, die sprachlichen Zugriffe also verfügbar sind, um mit ihrer Hilfe *menschliches Leben zu begründen.*"[2] Solche Wirkungen werden (1) auf der Ausdrucks- und (2) Inhaltsebene (Hjelmslev) des Werkes aufgewiesen. Die Ausführungen zur Metaphernreduktion (1) deuten auf Kafkas Wahrnehmung der Sprache als energetischer Größe und zeigen, daß ihm Sprache Poesie in nuce ist. Wie die (exemplarisch zu verstehende) Behandlung der „Sorge des Hausvaters" bedeuten auch die punktuellen Ausführungen über die Metaphernreduktion Beiträge zur Sprachreflexion als Instrument der poetischen Heuristik.

(2) Mit einem *sprachlich* bedingten und verfaßten Entwurf für ihre Existenz bzw. bestimmte Situationen und Phasen ihrer Existenz ausgestattet, handeln Josef K. und K. und liefern, so gesehen, auf der Ebene der Poesie ein Argument dafür, daß Sprache Lebensvollzug präformiert und steuert. Indem die Werke das zeigen, führen sie zugleich vor Augen, wie sich aus der Reflexion auf das Medium ein dichterisches Geschehen entfaltet. „Si le langage était *parfait, l'homme cesserait de penser*"[3]. Der Hausvater

---

1. Leo Weisgeber, Die vier Stufen in der Erforschung der Sprachen. Düsseldorf 1963 (= Sprache und Gemeinschaft. Grundlegung/Bd. II), S. 94.
2. Ebd. S. 126f.
3. Robinson 1, 400.

brauchte sich nicht länger darüber zu beunruhigen, daß es das Phänomen „Odradek" gibt, wenn seine Sprache imstande wäre, Meta-Physisches begrifflich einzuholen. Aber: „Die Sprache kann für alles außerhalb der sinnlichen Welt nur andeutungsweise, aber niemals auch nur annähernd vergleichsweise gebraucht werden" (H 45). Die durch die Begrenztheit seiner Sprache verursachte Begrenztheit seiner Welt (cf. Wittgenstein, Tractatus 5.6.) wird dem Hausvater zum Movens des sprachlich vorgetragenen Annäherungsversuches an das „Andere", das einen Namen und auch keinen Namen hat. Intellektuelle Existenz und sprachliche Existenz sind identisch.

Die Erzählung „Die Sorge des Hausvaters" ist nicht nur ein hervorragendes Beispiel immanenter Epistemologie, insofern sie demonstriert, daß Bewußtseinserweiterung an das Maß des Gelingens gebunden ist, Erahntes, jedoch keineswegs schon „Begriffenes" (begrifflich Gefaßtes) zu verbalisieren; von besonderem *literarischen* Interesse ist sie dadurch, daß der sprachliche Prozeß des Wortens der Welt Textentfaltung und Sageweise bestimmt und die Erzählung als ganze zudem strukturiert. Explizites Sagen, das den Text einleitet, sowie eine Serie von Fragen, die den Text abschließen, rücken das Sprachproblem ins Bewußtsein.

Daß der Gegenstand „Odradek" besprochene Wirklichkeit, daß dieses Wesen sprachliches Ereignis ist, deutet sich zu Beginn der Erzählung an. Zweimal werden Verben des Sagens verwendet; der syntaktische Parallelismus tut ein übriges, den sprachlichen Status des Phänomens zu beleuchten. „Die einen sagen, das Wort Odradek stamme aus dem Slawischen und sie suchen auf Grund dessen die Bildung des Wortes nachzuweisen. Andere wieder meinen, es stamme aus dem Deutschen, vom Slawischen sei es nur beeinflußt. Die Unsicherheit beider Deutungen aber läßt wohl mit Recht darauf schließen, daß keine zutrifft, zumal man auch mit keiner von ihnen einen Sinn des Wortes finden kann" (E 139). Der benennende Zugriff erfolgt unvorgreiflich. Was bleibt, ist die Mutmaßung, und sie bildet den Tenor der gesamten Verlautbarung. Vielfältig konkretisiert, gipfelt sie im letzten Absatz. Auf die Frageserie wurde hingewiesen, mutmaßende Redewendungen erscheinen kursiviert: „Vergeblich *frage* ich mich, was mit ihm geschehen *wird*. Kann er denn sterben? Alles, was stirbt, hat vorher *eine Art* Ziel, *eine Art* Tätigkeit gehabt und daran hat es sich zerrieben; das trifft bei Odradek nicht zu. *Sollte* er also einstmals *etwa* noch vor den Füßen meiner Kinder und Kindeskinder mit nachschleifendem Zwirnsfaden die Treppe hinunterkollern? Er schadet *ja offenbar* niemandem; aber die *Vorstellung*, daß er mich auch noch überleben *sollte*, ist mir eine fast schmerzliche" (E 140).

Dies und weiteres ist der sprachliche Ausdruck des Zugleichs von Ahnung und Agnosie. Der Text ereignet sich in der Reihung von stellvertretenden Formulierungen des Nicht-Formulierbaren; sie wirken wie Optionen auf eine Sagbarkeit, die schließlich doch nicht geleistet werden kann. Diese Weise, arrheta rhemata zu verwirklichen, bestimmt Kafkas Diktion. Das Sprechen in „Platzhaltern", das zugleich aus Gründen zum Scheitern verurteilt ist, thematisiert der Dichter einmal so: „Es ist unleugbar ein gewisses Glück, ruhig hinschreiben zu dürfen: ‚Ersticken ist unausdenkbar fürchterlich'. Freilich unausdenkbar, so wäre also doch wieder nichts hingeschrieben" (T 551). Daß das Schreiben zugleich Nicht-Schreiben ist, insofern es sein Ziel verfehlen muß, diese für den Autor durchgehend geltende Einsicht legt Behutsamkeit, ja Zurückhaltung gegenüber den Versuchen einer inhaltlichen Festlegung (Deutung) von Arbeiten Kafkas nahe und empfiehlt, vorrangig im sprachlichen *Verfahren* selbst das eigentlich Bedeutsame seines Dichtens zu sehen.

Sprachlich verfaßte Aperçus zum „Odradek" genannten Gegenstand, nicht jedoch Tatsachenaussagen beinhaltet die „Sorge". Die Spule „scheint" mit Zwirn umwickelt, doch „dürfte" es sich lediglich um zerrissene Fäden handeln. „Man wäre versucht zu glauben", so wird anfangs des dritten Absatzes erklärt, „dieses Gebilde hätte früher irgendeine zweckmäßige Form gehabt und jetzt sei es nur zerbrochen." Die Annahme „scheint" jedoch fehl am Platze. Die Bemerkung vom „Reden in Platzhaltern" gilt für „Gebilde": Mit dem Wort ist etwas gesagt (die „Option") und zugleich überhaupt nichts ausgesagt. Und die Funktion von „irgend" bzw. davon abgeleiteten Wörtern kennt jeder „native speaker" des Deutschen. Es ist Indiz des noch unsicheren gedanklichen Tastens in derjenigen Phase geistiger Aktivität, in der das zu erschließende Terrain noch nicht begrifflich „bepfählt" ist. Es ist beiläufiger, doch unverkennbarer Ausdruck der Gebundenheit des Denkens an den sprachlichen Vorgang. Unter dem Eindruck seiner Gespräche mit Benjamin notiert Gershom Scholem: „Das Wort ‚irgendwie' ist der Stempel einer werdenden Ansicht. Ich habe keinen Menschen dieses Wort öfter gebrauchen hören als Benjamin."[4] Diesen Stempel einer werdenden Ansicht tragen Texte des Dichters verschiedentlich.

Über das Skandalon Odradek eine Feststellung zu treffen, gelingt nicht. „Feststellen" läßt er sich nicht. Er ist in ständiger Bewegung und in diesem konkreten Sinne nicht zu orten, nicht „definierbar"; diese Tatsache findet in den nicht wenigen Eingrenzungen ihre Entsprechung, die via negationis operieren. Zuverlässiges läßt sich über Odradek *nicht* „sagen"; er hält sich „abwechselnd auf dem Dachboden, im Treppenhaus, auf den Gängen, im Flur" auf.

---

4. Walter Benjamin — die Geschichte einer Freundschaft S. 45.

Den negativen Weisen der Annäherung ist die vergleichende prinzipiell gleichwertig. Wo immer verglichen wird, ob in der Alltagssprache, ob in der Sprache der Poesie, wird uneingestandenermaßen das Unvermögen bekundet, unmittelbar begrifflich zu werden. Vergleichen und eines (realen oder geistigen) Gegenstandes nicht sicher zu sein ist eines. „Wie ein Kind" wird Odradek behandelt, und das Lachen dieses Wesens, das kein Kind ist, zu vergegenwärtigen, bedarf es zweier weiterer Vergleiche; „es ist [...] nur ein Lachen, wie man es ohne Lungen hervorbringen kann. Es klingt etwa so, wie das Rascheln in gefallenen Blättern."

Die für den in engen Grenzen gehaltenen Text auffällige Frequentierung des Sinnbezirkes des Sagens und Meinens, die Formulierungen der Unbestimmtheit, Negativformulierungen, Vergleiche, die Redeform der oratio obliqua, schließlich die fortgesetzte Selbstkorrektur oder Selbstaufhebung des Sprechens: Dies sind, positiv gewendet, die sprachlich operierenden Vorstöße ins nicht Pilotierte. Und in diesen Vorstößen und Umkreisungsversuchen versichtbart sich die Arbeit der Sprache, genauer: die Arbeit desjenigen, der in ihr *das Organon* der Weltbewältigung besitzt.

§ 20. Metaphernreduktion.

Das Phänomen ist in seiner Bedeutung für Kafka prinzipiell erkannt,[1] doch sollten die Konsequenzen des Verfahrens für die Erklärung von Werken des Dichters deutlicher gezogen werden.

Mit dem Begriff ist eine Methode bezeichnet, die zum Bestand heuristischer Verfahren des Poeten schlechthin und des klassisch-modernen insbesondere zählt. Metaphernreduktion ist ein sprachlich ermöglichter Produktionsmechanismus, der poetische Figurationen oder Konzepte zu ganzen Texten einzubilden vermag. Der Vorgang besteht darin, daß „vergessene" Metaphern als Metaphern erkannt und die ihnen zugrunde liegende Ausgangsvorstellung wörtlich genommen wird. Die Metapher wird also gleichsam zu einem durchsichtigen Wort (Gauger) gemacht. Während für den durchschnittlichen Sprachverwender Metaphern ihre Durchsichtigkeit auf ihren Ursprungsbereich längst dadurch verloren haben, daß sie in andere Begriffsfelder eingetre-

---

1. Günther Anders, Kafka pro und contra. Die Prozeß-Unterlagen. München 1972⁴ (= Beck'schen Schwarze Reihe. 21), S. 40f., Wagenbach, Jugendbiographie S. 94; Adorno, Aufzeichnungen zu Kafka S. 328.

ten sind, bewahrt sich der Dichter ein Wissen um den Bildgehalt von ehemaligen, aber nicht mehr als solchen empfundenen übertragenen Wendungen. Beispiele für Kafkas ausgeprägtes metaphorisches Bewußtsein wurden in Teil II erwähnt (cf. S. 71). Sein Kunstgriff, Metaphern (und andere uneigentliche Wendungen) auf ihren konkreten Gehalt durchsichtig zu machen, erinnert in auffälligem Maße an die Beispiele von Traumerlebnissen, die von Freud aus sprachlichen Motiven erklärt werden. Virulent ist in ihnen ein Sprachwissen, daß „im wachen Sprechen gar nicht zur Verfügung steht"[2]: Die Verbildlichung von uneigentlichen Redewendungen, die klanglichen Bezugsstiftung zwischen bedeutungsunterschiedenen Lexemen sowie die Vergegenständlichung von Abstrakta, die ehemalige Metaphern sind, bilden die von Freud nachgewiesenen Weisen verbildlichender Traumarbeit[3]; und exakt diese Weisen der Verbildlichung hebt Kafka in die Sphäre kreativer Bewußtheit.

Entweder konzentriert sich der beschriebene Vorgang auf ein einzelnes Werk, dessen Konzept oder Details er verantwortet, oder er schafft ein ganzes Bildfeld, das sich textübergreifend manifestiert. Damit ist die Weise, in der das Material vorgeführt wird, begründet: Die Darstellung folgt zunächst einzelnen Dichtungen, sie stellt dann Bildfelder vor. In diesem Teil der Untersuchung kann ein Beitrag zur spezifischen Kafkaschen Topologie gesehen werden.

1. Der Zusammenhang von Entfremdungsproblematik und Amerika-Motiv ist nach Malcolm Pasley verständlich, wenn man bedenkt, daß Kafka im „Verschollenen" die Metapher der „Entfremdung" wörtlich nimmt und die Entfremdung des Protagonisten infolgedessen als eine objektive Tatsache hinstellt. Von „Entfremdung" wird nicht gesprochen, vielmehr wird Karl Rossmann in die ferne Fremde der Vereinigten Staaten geschickt, in der sich zeigt, daß er der Menge des Befremdlichen, weil Fremden nicht gewachsen ist und schließlich untergehen muß.[4]

2. Im Zusammenhang von Kafkas dichterischen Reaktionen auf Probleme der modernen Arbeitswelt geht Emrich auf die Zerstörung des Kontaktes von Psyche und Beruf ein. Infolge des Vorganges stellt sich eine Dekomposition des ganzheitlichen Menschen ein, der, auf eine Funktion reduziert, in Teilaspekte zerfällt. Von Raban, der ihm für das Bewußtsein der Sinnentleertheit der Existenz symptomatisch ist, gelangt Emrich zur „Verwandlung" und zur

2. Hans-Martin Gauger, Sprache und Sprechen im Werk Sigmund Freuds. In: Die Neue Rundschau 85, 1974, 4, S. 568-590, S. 588.
3. Ebd. S. 586f.
4. Malcolm Pasley, Introduction to „Der Heizer" [...]. Cambridge 1966, p. 9.

Behandlung der Frage, welchen Sinn die Chiffre vom Käfer habe. „Der Mensch fällt aus der Einheit seines Wesens heraus, wird zum Tier oder Ding, da der Kontakt zwischen der inneren und äußeren Sphäre in der modernen Arbeitswelt gestört ist."[5] Es darf angezweifelt werden, ob damit der Sinn der Kafkaschen Rede vom Käfer korrekt ermittelt ist. Man kann nämlich, läßt man die Käfer-Existenz Gregor Samsas an sich vorüberziehen, im Gegensatz zu Emrich auch behaupten, erst durch sie gewinne der Mensch (d.i. Samsa) die Einheit seines Wesens (zumindest tendentiell) wieder. Der Mangel von Emrichs Deutung besteht darin, daß sie den sprachlichen Anteil am Zustandekommen des poetischen Bildes verkennt und so auch nicht die vor-literatursprachlich vorhandene valeur der Redeweise für die Deutung fruchtbar machen kann. Tatsächlich ist die „Verwandlung" unter Kafkas Erzählungen und Romanen der hervorragendste Beleg für die angedeutete heuristische Praxis, daß eine seit langem vorhandene Äußerung, die metaphorisch ist und zugleich nicht mehr als solche empfunden wird, da sie in einen anderen Feldzusammenhang übergegangen ist, zum Motiv eines poetischen Einfalles gerät, um den herum eine Erzählung gebaut wird. Licht auf den Stellenwert des Wortes vom „Käfer" kann allein von der Erinnerung vorliterarischer Sprachpraxis im Bereich pejorativ gemeinter Tiermetaphern fallen. „Mistfink", männliches Gegenstück zur „Schnepfe", wurde auf Menschen niederer Gesinnung angewendet; belegt ist auch „Mistvieh" (Mistviech) seit dem 18. Jahrhundert.[6] „Ungeziefer" wurde im 15./16. Jahrhundert auf Menschen übertragen, so auf Juden; Luther wandte das Wort gegen seine Gegner und das Papsttum; als ‚Ungeziefer' bezeichnet werden konnten auch so unterschiedliche Personengruppen wie Straßenräuber oder Ratsherren.[7] Es genügte schon, auf Kafkas sprachlichen Erfahrungskontext den Blick zu lenken. Denn die Redeweise des eigenen Vaters setzte die von den Wörterbüchern verzeichnete Praxis in des Dichters Gegenwart fort. Den mit seinem Sohn befreundeten ostjüdischen Schauspieler Löwy titulierte Hermann Kafka als „Ungeziefer" (H 171); seine eigene Köchin war ihm das „Vieh" (H 172). Wenn der Dichter Samsa als Ungeziefer und Mistvieh erscheinen läßt, zeigt er lediglich seine Vertrautheit mit einer über Jahrhunderte schon bekannten und zuverlässigen Usance, über entsprechende sprachliche Etikettierungen die einem gesellschaftlichen System, aus welchen Gründen auch immer, mißliebigen Gruppierungen oder Einzelgestalten zu brandmarken und zu erledigen.

---

5. Wilhelm Emrich, Die Bilderwelt Franz Kafkas. In: W. E., Protest und Verheißung. Studien zur klassischen und modernen Dichtung. Frankfurt/M. und Bonn 1960, S. 249-263, S. 254.
6. Heinz Küpper, Wörterbuch der deutschen Umgangssprache. I. Hamburg 1963³, S. 348f.
7. Dt. Wb. 11/III, Sp. 949.

Der Käfer erscheint in der Perspektive des Betroffenen, und das sichert dem Fall besonderes Interesse: Die Außenstehenden können in der bekannten Weise von Samsa reden, da er, der an der „Berufskrankheit" (E 59) des Reisenden erkrankt zu sein vorgibt und deshalb nicht mehr in der (für das Kollektiv) wünschenswerten Weise funktioniert, als Fremdkörper und Störenfried empfunden wird. Bemerkenswert ist, daß sich Gregor Samsa selbst als Käfer sieht: „Als Gregor Samsa eines Morgens aus unruhigen Träumen erwachte, *fand er sich* (G.H.) in seinem Bett zu einem ungeheueren Ungeziefer verwandelt" (E 56). Selbst derjenige, der sich aus Gründen, die Emrich andeutet, aus einem System desintegrieren will, ist von dessen Wertgefüge und der davon bestimmten Denkungsart so geprägt, daß er sich noch im Moment der Verweigerung nur in einem Bilde sehen kann, in dem sich die Denkweise des Kollektivs bekundet.

Der „Käfer" hatte, ehe er seine berühmteste Verwirklichung fand, in Kafkas Werk bereits Tradition. Die Motive von Verweigerung und Störfaktor, die sich im Käfer der „Verwandlung" ineins gesetzt finden, begegnen, je einzeln, auf einer der beiden Vorstufen. In „Hochzeitsvorbereitungen auf dem Lande" erinnert der Erzähler, der keine Lust verspürt, zu den Hochzeitsvorbereitungen aufs Land zu fahren, eine Gepflogenheit aus seiner Kinderzeit, die seine Sympathie mit der Weigerung, handelnd aktiv zu werden, verbildlichte: Raban bleibt, steht ein unangenehmes Geschäft bevor, in Gestalt eines großen Hirschkäfers daheim im Bett, während er eine entindividualisierte körperliche Hülle nach draußen wanken läßt (E 235f.). Dieser Geste der Verweigerung, die noch das Denken der Gemeinschaft trägt, der man sich verweigert, steht die andere gegenüber, die auf eine Störung hindeutet. Franz Rossmann wirkt in der Offizierskajüte des Ozeandampfers, wie er sich für Belange des Heizers einsetzt, als Störfaktor. Nicht von ungefähr fällt das Wort „Ungeziefer", das immerhin nur — Vorstufe zur „Verwandlung" — vergleichsweise gebraucht wird: Ein eilfertiger Diener jagt den sich ungehörig am falschen Platz: dem Entscheidungszentrum innerhalb des Ozeanriesen, Agierenden, „als jage er ein Ungeziefer".[8]

Doch es wird nicht lediglich eine Metapher auf ihren gegenständlichen Gehalt reduziert. Die metaphorische Bedeutungsdimension, die im vorliegenden Zusammenhang wichtige valeur gesellschaftsbedingter Abwertung eines Störfaktors, soll erhalten bleiben. Gehalten werden muß deshalb das Käfer-Bild in der permanenten Schwebe zwischen gegenständlichem und ungegenständli-

---

8. *Amerika*. Frankfurt/M. 9.-11. Tsd. 1966 (= Gesammelte Werke. Hrsg. von Max Brod), S. 21.

chem Sinn. Kafkas Reaktion auf die Mitteilung, Ottomar Starke habe den Auftrag erhalten, die „Verwandlung" zu illustrieren, ist dafür kennzeichnend. Die Möglichkeit, er könne einen Käfer zeichnen, da er diese Gestalt wörtlich nehme, was aber bezeichnenderweise *nicht* geschehen darf, bewegt den Dichter zu einer dringenden brieflichen Gegenvorstellung: „Es ist mir [...], da Starke doch tatsächlich illustriert, eingefallen, er könnte etwa das Insekt selbst zeichnen wollen. Das nicht, bitte das nicht! Ich will seinen Machtkreis nicht einschränken, sondern nur aus meiner natürlicherweise bessern Kenntnis der Geschichte heraus bitten. Das Insekt selbst kann nicht gezeichnet werden. Es kann aber nicht einmal von der Ferne aus gezeigt werden."[9] Man war klug genug, Kafka zu willfahren. Starke folgte im wesentlichen Kafkas eigenem Vorschlag: Von einer sich in schwarze Leere öffnenden Türe wendet sich eine männliche Gestalt ab, die Hände entsetzt vor die Augen gerissen.[10] Die Metapher wird also wörtlich genommen und darf zugleich nicht nur wörtlich genommen werden: Erst die Bedeutung des metaphorischen Ausdrucks macht die Käfer-Chiffre verständlich.

3. Metaphernreduktion setzt in der „Verwandlung" das zentrale Motiv frei. In einem anderen Fall verdankt sich ihr die Idee, die den Grund zu einer Erzählung legt.

Als Quelle für die „Strafkolonie" nennt Hartmut Binder Octave Mirbeaus Roman „Le Jardin des Supplices" von 1899[11]. Es ist nicht mit Sicherheit anzunehmen, daß Kafka dieses Werk vorgelegen hat, denn die deutsche Übersetzung von 1901 wurde teilweise sofort von der Zensur aus dem Verkehr gezogen. Abgesehen davon gibt es ein Argument grundsätzlicher Art, daß zur Skepsis gegenüber Binders Vorschlag rät.

Der Schopenhauer-Leser und -Kenner Kafka besaß die von Rudolf Steiner besorgte 12bändige Ausgabe sämtlicher Werke des Philosophen. In Band X dieser Ausgabe kann man im § 156 der „Parerga und Paralipomena" lesen: „Um allezeit einen sichern Kompaß, zur Orientierung im Leben, bei der Hand zu haben, und um dasselbe, ohne je irre zu werden, stets im richtigen Lichte zu erblicken, ist nichts tauglicher, als daß man sich angewöhne, diese Welt zu betrachten als einen Ort der Buße, also gleichsam als eine Strafanstalt, a penal colony, — ein ergasterion, wie schon die ältesten Philosophen sie nannten [...] und unter den christlichen Väter *Origines* es mit lobenswerter

---

9. B 136.
10. Abbildung in: Albert Soergel, Dichtung und Dichter der Zeit. Neue Folge: Im Banne des Expresionismus. 6. Auflage. Leipzig o. J., S. 867.
11. Kommentar zu sämtlichen Erzählungen S. 174.

Kühnheit aussprach."[12] Da Metaphernreduktion zu wiederholten Malen der in Kafka wirkenden Einbildungskraft entspricht, kann man auch für diesen Fall annehmen, die Idee zur Erzählung sei aus einer vorgefundenen und verwirklichten Metapher genommen — während der von Binder angeführte Roman allenfalls stoffliche Details geliefert haben würde. Naheliegender ist es, diejenige Äußerung als Quelle anzunehmen, die sogleich die Einheit einer Konzeption anbot.

Es kommt hinzu, daß das Verfahren in der Erzählung gleich mehrere Male begegnet. Angesichts der Art, in der das Urteil vollzogen wird, können Redensarten assoziiert werden wie: etwas am eigenen Leibe erfahren[13]; etwas ist jemandem auf den Leib geschrieben; wer nicht hören kann, muß fühlen (wobei insbesondere an den zweiten Teil der Aussage gedacht ist). Die Vermutung erscheint nicht abwegig, daß die Erfindung der teuflischen Maschine sowie der Hinrichtungsprozedur in den angeführten Redensarten vorgezeichnet seien. Auch die in der Erzählung mehrfach begegnende Lichtsymbolik ist umgangssprachlich vorgebildet. Erinnert werden kann an unterschiedliche (auch unterschiedlich deutliche) Ausdrucksweisen: ,Luzidität, Helle eines Gedankens' sind solche Wendungen, die mit der Vorstellung der Helligkeit arbeiten; vor allem aber wird man eine Redensart wie „Mir geht ein Licht auf" erinnern, die den Moment des Begreifens bezeichnet. Angesichts dessen, daß sich nach etwa sechsstündiger Prozedur ein „Ausdruck der Verklärung von dem gemarterten Gesicht" (E 112) abnehmen läßt und die Anwesenden ihre „Wangen in den Schein dieser endlich erreichten und schon vergehenden Gerechtigkeit" (E 112) halten, gewinnt die Tatsache tiefere Bedeutung, daß das Lokal in gleißendes Licht getaucht ist und das Sonnenlicht auf dem aufragenden Gestänge der Hinrichtungsmaschine, desjenigen Instrumentes, das Erkenntnis schaffen soll, blendend spielt. (Innerhalb der Kafkaschen Topologie bilden forcierte Lichterscheinungen eine eigene Gruppe. Immer indizieren sie aufkeimende Erkenntnis: Im Dom („Prozeß") brennt inmitten der Dunkelheit ein Licht, während der Geistliche Josef K. über dessen Verfahren vorträgt; während seiner Agonie sieht der Mann vom Lande in der Tiefe des Gesetzes ein intensiver werdendes Glühen. Der Zusammenhang von Sterben und Erkenntnis im Werke Kafkas ist gesichert;[14] „blendend" schlägt Josef K. das Licht, das bislang in seinem Rücken war, entgegen, wie er sich, an der Hand Titorellis, dem inneren Gerichtsbezirk nähert (P 294f.)).

12. Auf den möglichen Schopenhauer-Bezug weist schon hin: Patrick Bridgewater, Kafka und Nietzsche. Bonn 1974 (= Studien zur Germanistik, Anglistik und Komparatistik. Bd. 23), S. 104.

13. Anders, a.a.O., S. 40f.

14. „Ein erstes Zeichen beginnender Erkenntnis ist der Wunsch zu sterben" (H 40).

Sprachlich inspiriert erscheint gleichfalls Kafkas Rede *über* die „Strafkolonie". Peinen werden in der Erzählung erlitten. Fünfmal gebraucht der Autor das Adjektiv „peinlich" in einem Brief an Kurt Wolff vom 10.10.1916: „Ihr Aussetzen des Peinlichen trifft ganz mit meiner Meinung zusammen [...]. Bemerken Sie, wie wenig in dieser oder jener Form von diesem Peinlichen frei ist! Zur Erklärung dieser letzten Erzählung füge ich nur hinzu, daß nicht nur sie peinlich ist, daß vielmehr unsere allgemeine und meine besondere Zeit gleichfalls sehr peinlich war und ist und meine besondere sogar noch länger peinlich als die allgemeine" (B 150).

4. „Für mich bleibt Zürau allerdings das alte und ich gedenke mich hier so festzubeißen, daß man zuerst mein Gebiß wird überwältigen müssen, ehe man mich fortbringt" (B 174). Vor dem Hintergrund der an dieser Briefstelle aktualisierten Spannung von konkreter Vorstellung und deren Metaphorisierung ist eine eigenwillige poetische Setzung verständlich. „Ich war steif und kalt, ich war eine Brücke, über einem Abgrund lag ich. Diesseits waren die Fußspitzen, jenseits die Hände eingebohrt, in bröckelndem Lehm habe ich mich *festgebissen*" (E 284, Hervorhebung G.H.). Die kurze Erzählung weist auf Kafkas besondere Erkenntnisproblematik. Ein Subjekt der Erkenntnis will seiner selbst als der *Ganzheit*, die es darstellt, ansichtig werden; es fragt nach seiner Existenz (die sich für die Brücke erst in dem Moment konstituiert, in dem sie begangen wird, d.h. in Funktion tritt). Seinem Erkenntnisinteresse nachgebend, muß das fragende Subjekt jedoch die (von Kafka mehrfach formulierte) Erfahrung machen, daß es sich nur im Moment des Aus-Sich-Heraustretens begreifen kann. Zu erlangen ist ganzheitliche Erkenntnis allein von einem archimedischen Punkt außerhalb des Bezugssystems, dessen Teil der Erkenntnissuchende ist; dieser archimedische Punkt jedoch wird erst in der Todesannäherung sichtbar und im Tode erreicht.

Das Extreme dieses auf letzte Dinge zielenden Erkenntnisstrebens hat in dem landschaftlichen Ambiente sein Sinnbild. Es nimmt insbesondere in der Vergegenständlichung derjenigen Wendung Gestalt an, die Ausdruck des unbedingten Ringens um Erkenntnis ist. Darin, daß sich die „Brücke" im Lehm festgebissen hat, wird die kompromißlose Wahrheitssuche („Verbissenheit" bei der Suche nach einer Problemlösung) konkret. Die „Verbissenheit" indiziert den Rang dieser Wahrheitssuche ebenso wie das Gelände, in dem diese Suche erfolgt: Der Pionier im vorgeschobenen, im Grenzbereich menschlicher Erfahrung ersteht in der „Brücke".[15]

---

15. Man halte dagegen: Kurz, Traum-Schrecken, S. 195f.

5. Der „Fremde" aus dem hohen Norden, dem die Schakale ihre Differenzen mit den Arabern vortragen, kann über ihm derart „fern liegende" Probleme nichts Genaueres sagen; er vermag lediglich die Vermutung zu äußern, daß es sich bei den angedeuteten Dissonanzen um einen Streit handele, der, vorhanden, seit es die Welt gibt, „im Blut liegt": „wird also vielleicht erst mit dem Blute enden" (E 133). Aufgrund dieser Äußerung bezeichnet ihn ein Schakal als „sehr klug": Denn der Mann aus dem Norden gibt, ohne sich dessen bewußt zu sein, mit seiner Äußerung den Sinn des Verhaltens der Schakale zu: „Wir nehmen ihnen also ihr Blut und der Streit ist zu Ende" (ebd.). Die redensartliche und uneigentliche Wendung, dieser erste Text, schließt für den, der Wendungen auf ihren gegenständlichen Gehalt zu reduzieren geneigt ist, den zweiten mit ein. In der primären Äußerung spricht die andere mit.

Der semantischen Ambivalenz folgt eine grammatikalische. Der Reisende aus dem Norden mißversteht die Schakale, wenn er der zuletzt zitierten Äußerung einen Hinweis auf die Absicht entnimmt, die Araber zu töten. Was ist mit „ihrem" Blut zumindest *auch* noch gemeint? Es ist das Blut der bis dahin von den Arabern abgestochenen Tiere, das die Schakale auszusaugen beanspruchen: „Frieden müssen wir haben von den Arabern; atembare Luft; gereinigt von ihnen den Ausblick rund am Horizont; kein Klagegeschrei eines Hammels, den der Araber absticht; ruhig soll alles Getier krepieren; ungestört soll es von uns leer getrunken und bis auf die Knochen gereinigt werden" (E 134). Die Araber selbst töten zu wollen weisen die Schakale von sich; darum ersuchen sie den Fremden: „Wir werden sie doch nicht töten. Soviel Wasser hätte der Nil nicht, um uns rein zu waschen" (E 134). Der zur Diskussion stehende Redemechanismus erneuert sich mit dem soeben Zitierten: Das metaphorische Reinwaschen assoziiert das konkrete Nilwasser.

6. Allein an den Vorstellungen orientiert, kann man, so Schopenhauer, kein zuverlässiges Bild vom wahren Wesen der Welt gewinnen. Es zeigt sich, „daß *von außen* dem Wesen der Dinge nimmermehr beizukommen ist: wie immer man auch forschen mag, so gewinnt man nichts, als Bilder und Namen. Man gleicht Einem, der um ein Schloß herumgeht, vergeblich einen Eingang suchend und einstweilen die Fassaden skitzirend. Und doch ist dies der Weg, den alle Philosophen vor mir gegangen sind." Die Übereinstimmung mit der Fabel von Kafkas letztem Roman ist stupend, und die Vermutung, Kafka könnte sich an Schopenhauers vergleichender Rede orientiert und sie vergegenständlicht haben, wird hier nicht zum ersten Male geäußert.[16]

---

16. Schopenhauer, Die Welt als Wille und Vorstellung. Bd. I. 2. Buch, § 17. A.a.O., Bd. 1, S. 142. — Reed, a.a.O., S. 168.

Das bei einer eventuellen Schopenhauer-Übernahme angewendete Verfahren fügte sich zwanglos zur großen Zahl gleichgearteter Fälle, für die auch der vorliegende Roman mehrere Belege bereithält.

Für die Umsetzung von Redensarten wie: „Ihr seid mir alle eins" und „unter den Augen der Welt leben" wies schon Anders auf die beiden gleichaussehenden Gehilfen Artur und Jeremias sowie K.'s und Friedas öffentliches Privatleben in der Schule.[17] — Die meisten Szenen spielen in der Dunkelheit bzw. zu Zeiten verminderter Helligkeit. Auch der Mann vom Lande sieht lange Jahre durch das Tor des Gesetzes nur ins Dunkle. Von K., der wieder einmal das Schloß fixiert, heißt es eingangs des achten Kapitels: „[J]e länger er hinsah, desto weniger erkannte er, desto tiefer sank alles in Dämmerung" (S. 156f.).[18] Daß die Kafkaschen Protagonisten unwissend die Wahrheit sagen, daß sie, indem sie andere kritisch betrachten, sich selbst kritisieren, ohne es zu gewärtigen, kann mehrfach bemerkt werden. K. spricht der phantasiebegabten Pepi gegenüber von „Ausgeburten jenes Dunkels" (S 479), das nur vordergründig das Dunkel ihres Dienstmädchenzimmers ist. Dunkelheit ist in Kafkas Werken das Komplement zu den Lichterscheinungen unterschiedlicher Qualität und von ihnen her bedeutungsmäßig festzulegen. Wie, wenn jemandem „ein Licht aufgeht", im Erzählzusammenhang ein Licht erscheint, so breitet sich über die Erzählung, wo Unklarheiten des Verstehens vorherrschen, (meist) tiefe Dunkelheit — von einer „Arbeit wie in einem Bergwerk" berichtet Pepi im Blick auf den „Gang" im Herrenhof, an dem die Sekretäre des Schlosses nächtigen und arbeiten (S 456). Daß im Kontext dieser Charakterisierung der „Gang" als die Konkretion eines zahlreich besetzten genuinen Kafkaschen Topos erscheint, ist im Blick auf die mutmaßliche Genese des Vergleiches ebenso wichtig, wie von hierher ein Licht auf des Dichters faible für Gänge und Flure fallen könnte. „[M]an sagt ,Ort' und ,Ende', man sagt ,erörtern', die Ursache wissen wenig, allein man verstehe aus der Sprache der Berg-Leute, bey denen ist ,Ort' soviel als ,Ende', soweit nemlich der Stollen, der Schacht oder die Strecke getrieben, man sagt zum Exempel: dieser Bergmann arbeitet vor dem Ort, das ist, wo es aufhöret, daher erörtern nichts anderes ist, als endigen (definire)."[19] Der Vorschlagscharakter des Vorzutragenden ist evident, doch scheint Leibnizens dem späteren Prinzip „Wörter und Sachen" huldigende

---

17. Anders, a.a.O., S. 40f.

18. Zitiert wird nach der Ausgabe von Pasley.

19. G.W. Leibniz, Unvorgreiffliche Gedancken betreffend die Ausübung und Verbesserung der Teutschen Sprache. In: Illustris Viri Godofr. Guiglielmi Leibnitii Collectanea Etymologica [...] cum praefatione Jo. Georgii Eccardi. Hannoverae, Sumptibus Nicolai Foersteri, MDCCXVII, I, 6, p. 255ff., Kap. 54.

Etymologie auf eine zumindest diskutable Erklärungsmöglichkeit hinzuweisen. Im Vorgriff auf Späteres kann das „Schloß" als eine „recherche de l'homme", als eine durchgängige Erörterung des Wesens menschlicher Existenz bezeichnet werden. Vergegenständlicht wird diese Erörterung in Permanenz in der sich in oder an Gängen abspielenden Arbeit von Funktionären des „Schlosses", die mit der Arbeit in einem Bergwerk verglichen wird.[20]

7. Das Aperçu wird auf die nachgelassene Erzählung „Der Bau" ausgedehnt. Das verzweigte System des Baues, der die Äußerung des Maulwurfes (im ursprünglichen Sinne) darstellt und demnach mit ihm identisch ist (E 372), kann, den Gängen etc. sonstiger Werke analog, als gestaltgewordene Erörterung begriffen werden. „Untersuchungen" erfolgen in Gestalt von „Grabungen" (E 375), im Begriff des „Forschungsgraben[s] (E 386) werden beide Aspekte zusammengeführt. Organ der Grabungen qua Untersuchungen ist die Stirn. „Für eine solche Arbeit *aber* habe ich *nur* die Stirn" (E 362; die lesersteuernden Sprachelemente kursiviert, GH). Die Setzung „Stirn" ist nicht selbstverständlich. Die sich hierin ausprägende Abweichung von landläufiger Vorstellung muß erkannt und gewertet werden. Volksetymologien oder Pseudologien sind wissenschaftlich unzulänglich, dessen ungeachtet aber nicht wertlos. In ihnen bildet sich volkstümliche Sehweise und Erfahrung ab. Der Maulwurf ist derjenige, der mit seinem Maul die Erde aufwirft — was ja „arbeitsphysiologisch" auch plausibler ist, als setzte er die Stirne ein. So besehen, manifestiert sich in der paretymologischen Entstellung von ahd.*mû ‚Erde' (cf. Muspilli) zu ‚Maul' positiv zu bewertendes Wissen. Die Kafkasche Wortwahl aktualisiert die sprachlich bewahrte Erfahrung und signalisiert den besonderen Sinn des Bildes vom Gänge vorantreibenden Maulwurf.

Ein weiterer Hinweis stammt von Walter Benjamin, der auf die Verbildlichung von „Verkrochenheit" den Blick lenkt. „Übrigens ist die Wahl der Tiere, in deren Gedanken Kafka die seinigen einhüllt, beziehungsvoll. Es sind immer solche, die im Erdinnern [...] leben. Solche Verkrochenheit scheint dem Schriftsteller für die isolierten gesetzunkundigen Angehörigen seiner Generation und Umwelt allein angemessen."[21] Die Deutung, die Benjamin dem Sachverhalt gibt, verdankt sich einem auf den Text projizierten Aperçu, dem nachgedacht werden muß, wenn es auch prinzipiell Mutmaßung bleibt. An dieser Stelle muß Benjamins Äußerung interessieren, insofern sie ein weiteres Mal

---

20. Der Begriff „Volksfest" (S 299) wird wörtlich genommen, wenn es heißt: „Und weil es neue Trompeten waren, wollte sie jeder versuchen und weil es doch ein Volksfest war erlaubte man es."

21. Gesammelte Schriften, werkausgabe suhrkamp. Frankfurt/M. 1980. Bd. 5, S. 681.

zeigt, daß der Exeget ständig mit der Virulenz des bezeichneten heuristischen Kunstgriffes zu rechnen hat — auch wo er es gar nicht vermuten möchte.

8. Der Bereich der uneigentlichen Wendungen aus dem Assoziationsfeld „Hund" ist umgangssprachlich stark ausgebreitet, und Kafka macht häufigen Gebrauch von ihm. Grundlage seiner vergleichsweisen und unmittelbaren Erwähnungen von Hunden sind Elemente sprachlichen Allgemeinbesitzes: hundeelend, hundemüde sein, auf den Hund kommen, Hundewetter, hündische Gesinnung etc. Der Stellenwert von Kafkas Rede vom Hund ist derselbe wie in der gewöhnlichen Sprache: Das Bild stellt sich ein, wenn Menschen an einem Nullpunkt angelangt sind.

Das Prinzip zeigt das bekannte Paralipomenon zur „Strafkolonie" (T 525), worin der Reisende sagt: „Ich will eine Hundsfott sein." Die Äußerung bleibt nicht phraseologisch: „Aber dann nahm er das wörtlich und begann, auf allen Vieren umherzulaufen." Daß in ihr das Verfahren unverhüllt zutage tritt, bedingte, daß die Stelle kassiert wurde. Diese Tendenz ist bei Kafka wiederholt zu bemerken: Textpassagen, die den Blick auf die poetische Werkstatt allzu leicht hätten freigeben können, wurden eingezogen.

Doch der Bildbereich ist in der Erzählung nicht gänzlich getilgt. Der Delinquent wird u.a. mit einer Bemerkung eingeführt, die übergangslos zwischen übertragen und wörtlich gemeinter Bemerkung verläuft: „Übrigens sah der Verurteilte so hündisch ergeben aus [sc. der Mensch am Nullpunkt], daß es den Anschein hatte, als könnte man ihn frei auf den Abhängen herumlaufen lassen und müsse bei Beginn der Exekution nur pfeifen, damit er käme" (E 100). Der andere, berühmtere Delinquent, Josef K., stirbt bekanntlich nach eigener Einschätzung „wie ein Hund!" (P 272).

In „Eine Kreuzung" wird ein „eigentümliches Tier, halb Kätzchen, halb Lamm" (E 302) präsentiert. Es vereinigt aber nicht nur die genannten Tierarten in sich, es kommt seinem Besitzer bisweilen auch noch wie ein *Hund* vor. Bisweilen: Die Situation, in der sich der Eindruck bildet, ist nicht beliebig. Kennzeichnend für sie und damit auch für das Hervortreten des hündischen Charakters am Tier ist die Situation der Auswegslosigkeit, an die der veränderte Eindruck gebunden ist. „Einmal als ich, wie es ja jedem geschehen kann, in meinen Geschäften und allem, was damit zusammenhängt, keinen Ausweg mehr finden konnte, alles verfallen lassen wollte und in solcher Verfassung zu Hause im Schaukelstuhl lag, das Tier auf dem Schoß, da tropften, als ich zufällig einmal hinuntersah, von seinen riesenhaften Barthaaren Tränen. — Waren es meine, waren es seine?" (E 303) Die Frage lenkt auf die partielle Identität von Hund und Herrn, die nicht nur einmal hervortritt, und macht den Sinn der Chiffre einsichtig.

Blumfeld kommt in dem Moment auf den Gedanken, sich einen Hund anschaffen zu können, in dem er sich bewußt wird, wie sehr er, der sich durch seine berufliche Existenz hat entstellen lassen, „auf den Hund gekommen" ist. Nicht mehr in dienstlichen Zusammenhängen, noch nicht daheim, sondern auf der Treppe, dieser symbolischen Schräge zwischen den Ebenen seines Daseins, denkt er an seine trostlose Einsamkeit; er erinnert seinen früheren Plan, sich einen Hund anzuschaffen, der ihm im Bewußtsein seiner defizitären Situation neu erscheint. „[W]ie Hunde verzweifelt im Boden scharren" (S 75), so „scharren" K. und Frieda, in Bierlachen unter dem Tresen im Ausschank des Herrenhofes liegend, „an ihren Körpern". Ist hier ein Ungenügen signalisiert, so weist an anderer Stelle die Brückenhofwirtin auf das Dasein des outlaw K. hin, wenn sie (S 85) ihm erklärt, er fände im Dorfe nicht einmal in einer „Hundehütte" Unterschlupf, wenn sie ihn aus dem Hause wiese.

Auch die ungewöhnliche Idee zu den „Forschungen eines Hundes" erklärt sich aus dem umgangssprachlich bereitgestellten Bedeutungsgehalt uneigentlicher Rede vom Hund. Der erzählende Hund ist derjenige, der das Gesetz des Hundelebens oder Hundseins umkreist und dabei zum Grunde vorstößt; so geht er fast zugrunde. Daß die Fiktion im weiteren Sinne Allegorie menschlicher Probleme ist, zeigt sich, wenn der berichtende Hund vom „Hundeleben" spricht, das die Urväter verschuldet hätten. Mit diesem Wort „Hundeleben" ironisiert der Text den eigenen Produktionsvorgang.[22]

9. „Ich bin kein Eskimo, aber ich lebe, so wie heute die Mehrzahl der Menschen, in einer bitterkalten Welt" (J² 61). Ähnliche Formulierungen sind bekannt: frostige Atmosphäre, kühler Empfang, eisige Begrüßung, mit jemandem nicht warm werden, dagegen: Warmherzigkeit, Wärme einer Beziehung usw. Der umgangssprachliche Gebrauch ragt tief in Kafkas Werk hinein; das Klima in seinen Erzählungen und Romanen hat immer etwas zu bedeuten. Generell gilt: Kälte und Schnee signalisieren ein humanitäres Defizit: mangelnde Mitmenschlichkeit, Unfähigkeit zum Mitleiden. Die Mikrokontexte der jeweiligen Erwähnungen klimatologischer Daten sind dafür kennzeichnend.

In Eis und Schnee getaucht ist die Welt, in der das Schloß liegt. Ohne auf Einzelnes vorauszugreifen, sei Grundsätzliches angedeutet: Schnee weist auf die Desintegration K.'s innerhalb der Dorf-Schloß-Welt; Schnee versinnbildlicht die mangelnde Mitmenschlichkeit zwischen den Dorfbewohnern; ge-

22. Vgl. auch Elias Canetti, Der andere Prozeß. Kafkas Briefe an Felice. 2. Teil. In: Die Neue Rundschau 79, 1968, 4, S. 586-623, S. 599. — Karl-Heinz Fingerhut, Die Funktion der Tierfiguren im Werk Franz Kafkas. Offene Erzählgerüste und Figurenspiele. Bonn 1969 (= Abhandlungen zur Kunst-, Musik- und Literaturwissenschaft. Bd. 89), S. 215-223.

ringerer Schnee im „Schloß" selbst könnte auf eine größere Nähe zum Gegenstand der Recherche, der menschlichen Existenz, deuten.

In Eis und Schnee getaucht ist die Welt des Kübelreiters. Der Erzähler wünscht nur eine minimale Quantität Kohle, um überleben zu können. Er scheitert. Sein Wunsch wird an menschlicher Ignoranz und Fühllosigkeit zuschanden. Auf die Frage des Kohlenhändlers, wer denn da geläutet habe, erklärt seine Frau, sie höre und sehe nichts; „Aber dennoch löst sie das Schürzenband und versucht mich mit der Schürze fortzuwehen" (E 196). Die Bildlogik ist unbestechlich: „,[D]u Böse! Um eine Schaufel von der schlechtesten [sc. Sorte] habe ich gebeten und du hast sie mir nicht gegeben.' Und damit steige ich in die Regionen der Eisgebirge und verliere mich auf Nimmerwiedersehen" (E 196). — Gebirgiges Gelände, in seiner Eisigkeit als Signal der Außer- und Unmenschlichkeit hervortretend, erscheint in „Die Brücke" vertreten durch den in der Tiefe fließenden „eisige[n]" Forellenbach (E 284).

In Eis und Schnee getaucht ist schließlich die Welt des Landarztes. Die Kälte mitmenschlicher Beziehungen im Zeitalter der Mechanisierung (Rathenau) wird an keiner Stelle von Kafkas Werk mit derselben gegenständlichen Konkretheit vergegenwärtigt wie in dieser Erzählung, die die Folgen der Verwandlung von Werten in Funktionen behandelt. Religiöse und andere Wertsysteme sind außer Kraft gesetzt. Bildeten einstmals Pietät und hingebungsvolles Dienen Handlungsmaximen, die für jeden verpflichtend waren, so nehmen nun dafür bezahlte Funktionsträger die entsprechenden Aufgaben wahr. „Den alten Glauben haben sie verloren; der Pfarrer sitzt zu Hause und zerzupft die Meßgewänder, eines nach dem andern; aber der Arzt soll alles leisten mit seiner zarten chirurgischen Hand" (E 127). Der Funktionär hat erfolgreich zu arbeiten. Daß er das tut, ist nicht mehr als recht und billig. Auf Dankbarkeit hat er keinen Anspruch, auch nicht auf Verständnis für Versagen: „Und heilt er nicht, so tötet ihn!/'Sist nur ein Arzt, 'sist nur ein Arzt", singt ein Schulchor, vom Lehrer dirigiert, vor dem Haus, in dem der Landarzt seinen Krankenbesuch macht.

„Er erzählt, wie ihn am Abend im Schneefall auf der Landstraße seine Frau und seine sechs Kinder erwartet hätten und wie er ihnen das endgültige Mißlingen seiner Hoffnungen bekennen mußte" (E 254). So endet der Versuch des Dorfschullehrers, der in die Stadt fährt und einem Gelehrten vom Fund des Riesenmaulwurfes berichtet, um das Interesse der Wissenschaft für seine Entdeckung zu gewinnen und persönliche Anerkennung zu finden. Die Kühle, die „aufgeklärte" Überheblichkeit des Gelehrten, dem er Vortrag hält, lassen ihn verzweifeln.

Der Topos durchzieht das gesamte Werk. Eine der spätesten Arbeiten wurde erwähnt; auch in der frühesten finden sich Belege.[23] Das verlegen-zufällige Miteinander der beiden Herren, die sich bei einer Abendeinladung kennenlernen und beschließen, noch einen späten Spaziergang auf den Laurenziberg zu machen, ist geprägt von Unwillen zur Kommunikation und wechselweisem Desinteresse der Partner an ihren Belangen. Die Luft ist kühl, ein wenig Schnee liegt, die Wege werden mit Schlittschuhbahnen verglichen (D 12); vom Wasser weht es kalt; der Ich-Erzähler friert (D 24). Seinen Begleiter hält er für „herzlos", denn er zeigt „Gleichgültigkeit" gegenüber seinen „demüthigen" Äußerungen (D 28 auch D 40). Besonders deutlich stellt sich der Zusammenhang im III. Kap. her. Die beiden sitzen endlich, vor einem Gärtnerhaus im Mondschein, auf dem Laurenziberg; der Begleiter erzählt von seiner Verlobten. Er schwärmt von ihr. Der Erzähler reagiert „theilnamslos" (D 130) und besitzt die Geschmacklosigkeit, das Bild von Alter und Zerfall auf das strahlende und hübschgekleidete junge Mädchen zu projizieren. Der Frage, ob er die Geliebte des Begleiters schön finde, weicht der Erzähler aus. „‚Sie müssen nicht getröstet werden. Sie werden doch geliebt.' Dabei hielt ich mein mit blauen Weintrauben gemustertes Taschentuch vor den Mund, um mich nicht zu erkälten!" (D 132). Tatsächlich war ihm „sehr kalt und schon neigte sich der Himmel ein wenig in weißlicher Farbe" (D 134). Und während der Erzähler „einige beschneite Ästchen" zerbricht, gesteht er seinem Gegenüber, um ihn zu enttäuschen, auch *er* sei verlobt (ebd.).

10. Unbehaust im Wortsinne ist der Landarzt. Im Schlitten von den Pferden in rasender Fahrt fortgezogen, erklärt er: „Niemals komme ich so nach Hause" (E 128). Daß man im Heim der Unheimlichkeit gegenübersteht bzw. das Haus der Raum der Unbehaustheit geworden ist, thematisiert die Erzählung von Odradek. Der Titel unterstützt die hier hergestellte Beziehung: Nicht irgendwer, sondern ein „Hausvater" sorgt sich.

11. Die Wiederverräumlichung von abstrakt gewordenen Präpositionen[24] ist zwar keine Form der Metaphernreduktion im strengen Sinne, denn es gibt nach üblicher Vorstellung keine präpositionalen Metaphern, aber der Vorgang der Vergegenständlichung ist auch hier gegeben. Die Parabel „Vor dem Gesetz" kann nur so entstanden gedacht werden. „Vor dem Gesetze sind alle gleich", sagt man. Nun erscheint das Gesetz folgerichtig für den, der wörtlich versteht, als Gebäude mit einem Türsteher davor: „Vor dem Gesetz steht ein Türhüter. Zu diesem Türhüter kommt ein Mann vom Lande und bittet um Eintritt in das Gesetz" (E 131).

---

23. Datierungen nach Pasley/Wagenbach, a.a.O.
24. Darauf weist schon Anders, a.a.O., hin.

Anton Marty spricht einmal von der Grammatikalisierung ursprünglich autosemantischer Lexeme, insbesondere von dem Übergang von Autosemantica in Suffixe, und nimmt diese Tatsache zum Anlaß zu der Bemerkung, daß der „Sprung vom kategorematischen zum synkategorematischen Gebrauch eines Sprachmittels [...] überall ein besonders kühner war". Er erinnert dafür an die „Vieldeutigkeit" nicht nur der Casus und Konjunktionen, sondern auch der Präpositionen.[25]

§ 21. „Der Prozeß".

Wenn Kafkas zweiter Roman auf den folgenden Seiten einer sprachkritischen Betrachtung unterzogen wird, heißt das nicht, Sprache werde als sein Thema begriffen. Damit wiederholten sich nur die bekannten und methodologisch bedenklichen Einseitigkeiten. Deutungsfragen werden zunächst überhaupt nicht behandelt. Gefragt wird im Gefolge Weisgerbers, ob und inwiefern Urteile und Verhaltensweisen des Protagonisten „durch die vorgegebenen Sprachmittel gelenkt"[1] sind. Die generelle Frage spitzt sich zu der nach der Bedeutung des fundierenden Begriffs der „Verhaftung" zu, von dem sich Josef K. in seinen Urteilen und Handlungen leiten läßt. Der Kritiker, der außerhalb des semantischen Romanuniversums steht, kann im Unterschied zu K. die fallacy of verbalism durchbrechen und das Verstehen des Helden als Teil- und Mißverstehen erkennen. Die besondere Frageperspektive ist also deutlich: Zunächst interessiert nicht die Transitivität der Sprache; die Untersuchung verlagert sich auf die Ebene der Intransitivität und fragt nach den pragmatischen Konsequenzen, die ein bestimmter Sprachbesitz für K. hat. Gelesen wird der Roman als poetisches Interpretament des Lemmas „Verhaftung".

Über die bloße Deskription hinaus ist nach der Bedeutung zu fragen, die die Ergebnisse der semantischen Analyse für die Bestimmung der Erzählabsicht haben könnte. Der Übergang der explication de texte in die Interpretation ist damit angedeutet.

Dem geplanten Vorhaben kommt Kafkas Schreiben entgegen, insofern es mehrere lesersteuernde Wendungen bereitstellt. Überraschend häufig tritt die metasprachliche Funktion hervor: Sprachliche Probleme werden explizit. Solche Stellen stimmen nachdenklich, denn sie deuten auf das Medium als einen Gegenstand des Erzählens.

25. Über das Verhältnis von Grammatik und Logik, S. 94.
1. Leo Weisgerber, Die Muttersprache im Aufbau unserer Kultur. Düsseldorf 1957[2] (= Von den Kräften der deutschen Sprache. 3), S. 35.

Schon in der Unterhaltung K.'s mit dem Aufseher und den Wärtern findet man entsprechende Hinweise. Unter dem ersten Eindruck seiner „Verhaftung" spricht K. von dem aussichtslosen Versuch, mit den Gerichtspersonen den vermeintlichen Irrtum zu klären. „Sie reden doch jedenfalls von Dingen, die sie gar nicht verstehen. Ihre Sicherheit ist nur durch ihre Dummheit möglich. Ein paar Worte, die ich mit einem mir ebenbürtigen Menschen sprechen werde, werden alles unvergleichlich klarer machen als die längsten Reden mit diesen" (P 15f.). K. benutzt Worte wie „reden", „verstehen", „nicht verstehen"; das könnte darauf schließen lassen, ihm sei bereits deutlich, daß das Problem auf dem sprachlichen Plan situiert ist. Doch der Fortgang der Erzählung korrigiert diese Vermutung. Allenfalls als unwissend wissend kann Josef K. bezeichnet werden. Wie an dieser Stelle, deutet er öfter an, daß seine Welt „besprochene" Welt ist, doch er selbst erkennt den Hinweischarakter seiner Worte nicht. Wenn desweiteren vom Mißverstehen gesprochen wird, verstärkt sich der Verdacht, daß eine semantische Anomalie K.'s das wahre Verständnis von „Verhaftung" verbaut und Fehlverhaltensweisen nach sich zieht. Dem angeblich Verhafteten wird die Möglichkeit angeboten, seinen täglichen Bürodienst versehen zu können. Diese Koinzidenz von Verhaftung und Freiheit nicht begreifend, sieht sich K. dieser Belehrung gegenüber: „Sie haben mich mißverstanden. Sie sind verhaftet, gewiß, aber das soll Sie nicht hindern, Ihren Beruf zu erfüllen. Sie sollen auch in Ihrer gewöhnlichen Lebensweise nicht gehindert sein" (P 24f.). Den Gedanken, daß sich hinter der Identität des sprachlichen Zeichens unterschiedliche Sprachspiele verbergen, vermag K. nicht zu denken. Er handelt in der Meinung, mit Sachproblemen konfrontiert zu sein. Er urteilt im Vertrauen auf den Leitwert der Worte, die (für sein Verständnis) den „Sachen" wie bloße Namenschildchen appliziert sind. Die Ironie des Aufsehers richtet sich darauf: „Da Sie auf alle Worte aufpassen, füge ich hinzu: ich zwinge Sie nicht, in die Bank zu gehen, ich hatte nur angenommen, daß Sie es wollen" (P 25). K. paßt auf die Worte auf, jedoch so sehr, daß er ihre Aussagekraft verkürzt bzw. sich bei seinen Auslegungsversuchen von traditionellen semantischen Prädispositionen leiten läßt.

Prinzipiell neue Erfahrungen mit verfügbaren Begriffen einholen zu sollen bezeichnet K.'s Grundproblem. Lehrgespräche, aus denen keine Belehrung gezogen wird, bilden wesentliche Bauelemente in beiden hier zu behandelnden Romanen. Zwei solcher Gespräche führt K. noch am Abend der Verhaftung mit Frau Grubach, der Vermieterin, und einer Mieterin, Fräulein Bürstner. Beide Unterhaltungen demonstrieren die Schwierigkeit, Unbekanntes mit Worten zu worten, die das Vermutete nicht treffen. Zwar klingt in den Ausführungen von Frau Grubach (P 30) die Möglichkeit an, daß die Rede vom „Gericht" etc. eine metaphorische Dimension hat, aber K. ist für diesen Hinweis nicht offen. Das Maß seiner semantischen Verstocktheit indiziert die Tatsache, daß er selbst wie Frau Grubach argumentiert, sich aber dessen nicht bewußt ist. Er entschuldigt sich bei Fräulein Bürstner für die Unordnung, die am Morgen die „Untersuchungskommission" gestiftet; dabei korrigiert er sich, als wüßte er um die metaphorische Qualität des Sinnbezirks des Gerichtswesens. „Was ich weiß, habe ich Ihnen schon gesagt. Sogar mehr als ich weiß, denn es war gar keine Untersuchungskommission, ich nenne es so, weil ich keinen andern Namen dafür weiß. Es wurde gar nichts untersucht, ich wurde nur verhaftet, aber von einer Kommission" (P 38). Dieses eine Mal erkennt K. das Problem, doch er zieht daraus keine Konsequenzen. Je weiter aber die Erzählung fortschreitet, desto plausibler wird die Vermutung, die Rede vom Gericht etc. sei metaphorisch zu nehmen und der Roman (produktionsästhetisch besehen) als eine vergegenständlichte Metapher zu begreifen.

K.'s Deutungsverhalten wird textimmanent reflektiert. Dem Protagonisten, der ein Detail der Parabel „Vor dem Gesetz" deutet, hält der Geistliche entgegen: „Du hast nicht genug Achtung vor der Schrift und veränderst die Geschichte" (P 258). Texte sind sowohl die Parabel als auch das Insgesamt der K. zuhandenen *langue*, der er nicht den nötigen Respekt erweist. Die Bemerkung, K. achte so genau auf die Worte, sind ein Hohn auf die Tatsächlichkeit.

An den metasprachlich akzentuierten Stellen tritt das Prinzip hervor, das das Romangeschehen strukturiert. Zwei Sprachhandlungsstränge durchziehen den Roman; der erste ist der des Protagonisten, der zweite der des Personals um K., das im wesentlichen Personal des Gerichtes ist. Diese Personen fungieren wie „Einsager" (Peter Handke), deren Aussehen, Handeln und Sprechen das verengte semantische Konzept Josef K.'s verunsichern und negieren sollen.[2] K., sich im Sprachspiel der Jurisdiktion bewegend, trifft auf ein zweites. Diesem Sprachspiel unterliegt ein anderes *concept* als dem ersten, mit dem es dieselben sprachlichen Zeichen (signifiants) teilt. In dieser spracheigentümlichen Nivellierung liegt die Schwierigkeit für K. wie für den Leser begründet, zu erkennen, daß verschiedene Sprachebenen eingenommen, verschiedene Sprachen gesprochen werden. Tatsächlich enthält der Text (der K.'s) einen Meta-Text (Greimas). Die fallacy of verbalism zu durchbrechen heißt, sich klarzumachen, daß die Zweiheit der Sprachebenen, die von Text und Meta-Text, im konnektierenden Term (Greimas) nivelliert und kaschiert ist.[3]

2. Adorno, Aufzeichnungen zu Kafka S. 329: „Oft setzen Gesten Kontrapunkte zu den Werken" etc.

3. Die Brauchbarkeit von Wittgensteins und Greimas' Begrifflichkeit für eine Beschreibung des Romans untersucht: Gotthard Oblau, Erkenntnis- und Kommunikationsfunktion der Sprache in Franz Kafkas ‚Der Prozeß'. In: Verf. (Hrsg.), Zu Franz Kafka. Stuttgart 1983[2] (= Literaturwissenschaft — Gesellschaftswissenschaft. 42), S. 209-229.

Es gibt verschiedene Weisen der semantischen Verunsicherung K.'s. (1) Vorgestellt wurden die Fälle metasprachlicher Erörterung. (2) Das konventionelle Verständnis („Jurisdiktion") wird durch stoffliche und praktische Details in Frage gezogen: Die Uniform dessen, der die Verhaftung vornimmt, ist ungewöhnlich. Der Verhaftete hat keinen Anspruch, einem Haftrichter vorgeführt zu werden. Der Verhaftende will K. ein Frühstück besorgen. Daß es K. freigestellt bleibt, seinem Beruf nachzugehen, weiß man. (3) Das ständige Aneinander-Vorbeireden weist auf die sprachliche Problematik und deutet wenn nicht für K., so doch für den Leser das Vorhandensein zweier Sprachspiele an. (4) Das schon einmal kurz erwähnte Lehrgespräch mit Frau Grubach läßt erkennen, daß die Rede vom Gericht etc. polysem ist.

Der Basisbegriff erscheint im ersten Satz des Romans. „Jemand musste Josef K. verleumdet haben, denn ohne daß er etwas Böses getan hätte, wurde er eines Morgens verhaftet" (P 9). Daß die Vorstellung von der Verhaftung für den weiteren Roman grundlegend ist, entnimmt man daraus, daß Glieder der Wortfamilie bereits im ersten Kapitel zahlreich auftreten („verhaften": P 9, 11, 14, 14, 21, 24, 24, 30, 30, 38; „Verhafteter": P 15; „Verhaftetsein": P 25; „Verhaftung": P 15, 15, 22, 25, 30; „Verhaftbefehl": P 14, 15).

Man könnte einwenden, die Verhaftung sei objektiv gegeben und nicht bloß eingebildet. Nicht nur nach Friedrich Beissners Untersuchungen zur Erzählperspektive bei Kafka muß aber davon ausgegangen werden, daß sich in dem erzählten Vorgang die Sehweise des Protagonisten abbildet.

K.'s Einschätzung seiner Situation erfolgt, sprachkritisch gesehen, so: Die Vorstellung „Verhaftung" oder „Verhaftetsein" setzt aus den sprachlichen Strukturen, deren integrales Element sie ist, weitere Begriffe (Gegenstände des Bewußtseins) frei. Die ursprünglich in absentia (de Saussure) vorhandenen Elemente werden aktualisiert: Einleitung des Verfahrens, Wächter, Prozeß, Rechtsstaat, Gesetz, Legitimationspapier (Radfahrerlegitimation, Geburtsschein), Verhaftbefehl, Hauptverhandlung, Staatsanwalt, Verhandlungstisch, Verhandlung, Anklagen, Schuld, Unschuld, Rüge, Advokat, schuldlos, unschuldig, Verbrecher, schuldig, Gefängnis, Gerichtssachen, Aufseher, Untersuchungskommission, Gericht, Advokaturbüro. In dieser imponierenden Fülle ist der Sinnbezirk im ersten Kapitel repräsentiert. *Ein* sprachliches Element entfaltet sein Assoziationsfeld. Indem es von K. auf eine wie immer geartete Umwelt und Ereignisverknüpfung projiziert wird, schafft dieses Assoziationsfeld Welt des Bewußtseins.

Josef K.'s sprachrealistisches, auf den Leitwert des Wortes vertrauendes Verhalten motiviert sein Gespräch mit den Wächtern, die es Frau Grubach verbieten, bei ihm einzutreten, da er verhaftet ist. „‚Sie sind doch verhaftet.' ‚Wie kann ich denn verhaftet sein? Und gar auf diese Weise?' ‚Nun fangen Sie also wieder an', sagte der Wächter und tauchte ein Butterbrot ins Honigfäßchen. ,Solche Fragen beantworten wir nicht.' ,Sie werden sie beantworten müssen', sagte K. ,Hier sind meine Legitimationspapiere, zeigen Sie mir jetzt die Ihrigen und vor allem den Verhaftbefehl.' ,Du lieber Himmel!' sagte der Wächter. ,Daß Sie sich in Ihre Lage nicht fügen können und daß Sie es darauf angelegt zu haben scheinen, uns, die wir Ihnen jetzt wahrscheinlich von allen Ihren Mitmenschen am nächsten stehen, nutzlos zu reizen!' ,Es ist so, glauben Sie es doch' sagte Franz, führte die Kaffeetasse, die er in der Hand hielt, nicht zum Mund, sondern sah K. mit einem langen, wahrscheinlich bedeutungsvollen, aber unverständlichen Blick an. K. ließ sich, ohne es zu wollen, in ein Zwiegespräch der Blicke mit Franz ein, schlug aber dann doch auf seine Papiere und sagte: ,Hier sind meine Legitimationspapiere.' ,Was kümmern uns denn die?' rief nun schon der große Wächter. ,Sie führen sich ärger auf als ein Kind. Was wollen Sie denn? Wollen Sie Ihren großen, verfluchten Prozeß dadurch zu einem raschen Ende bringen, daß Sie mit uns, den Wächtern, über Legitimation und Verhaftbefehl diskutieren? Wir sind niedrige Angestellte, die sich in einem Legitimationspapier kaum auskennen und die mit Ihrer Sache nichts anderes zu tun haben, als daß sie zehn Stunden täglich bei Ihnen Wache halten und dafür bezahlt werden. Das ist alles, was wir sind, trotzdem aber sind wir fähig, einzusehen, daß die hohen Behörden, in deren Dienst wir stehen, ehe sie eine solche Verhaftung verfügen, sich sehr genau über die Gründe der Verhaftung und die Person des Verhafteten unterrichten. Es gibt darin keinen Irrtum. Unsere Behörde, soweit ich sie kenne, und ich kenne nur die niedrigsten Grade, sucht doch nicht etwa die Schuld in der Bevölkerung, sondern wird, wie es im Gesetz heißt, von der Schuld angezogen und muß uns Wächter ausschicken. Das ist Gesetz. Wo gäbe es da einen Irrtum?' ,Dieses Gesetz kenne ich nicht', sagte K." (P 14f.). In diesem Text tritt die Zweiheit der in einer Gruppe von konnektierenden Termen nivellierten Sprachspiele unmißverständlich hervor. Zwischen beiden muß die sprachliche Interaktion mißlingen, da die Referenz eine verschiedene ist. In diesem Sinne kann der Wärter tatsächlich erklären: „Solche Fragen beantworten wir nicht!" Wenn Franz, da K. obstinat bleibt, seinem Kollegen zu verstehen gibt, man könne K. nichts „begreiflich machen", so bedeutet das einen kaum verhüllten Hinweis auf K.'s sprachlichen Defekt: Ihm kann man den neuen Begriff nicht beibringen. Das bestätigt er im folgenden mehrfach, so wenn er (P 21) aus der Verhaftung auf eine Anklage schließt, nach dem Ankläger fragt und sich erkundigt, welche Behörde das Verfahren durchführe. Zwar merkt er zur Kleidung der Wächter an, sie entspreche nicht der Vorstellung von Uniformen, aber er zieht wiederum nicht die Folgerungen für eine allfällige Revision seiner Begrifflichkeit. Im Gegenteil: K. möchte seine Beziehung zum ihm befreundeten Staatsanwalt

Hasterer ausnutzen; aber diese persönliche Beziehung tut gar nichts zur Sache. In den behandelten Fällen manifestiert sich die sprachliche Problematik mittelbar, indem Fehlkommunikation vorgeführt wird. Nicht übergangen werden darf das ans Kapitelende gerückte Gespräch K.'s mit Frau Grubach, denn diese „alte" Frau, die lebenskluge und erfahrene, nennt die sprachliche Tatsache ausdrücklich und weist auf die Polysemie der Wörter. K. müsse einsehen, daß sie nicht mehr im Horizont der Jurisdiktion stehen. „[...] ich kann nicht sagen, daß es etwas besonders Schlimmes war. Nein. Sie sind zwar verhaftet, aber nicht so wie ein Dieb verhaftet wird. Wenn man wie ein Dieb verhaftet wird, so ist es schlimm, aber diese Verhaftung —. Es kommt mir wie etwas Gelehrtes vor, entschuldigen Sie, wenn ich etwas Dummes sage, es kommt mir wie etwas Gelehrtes vor, das ich zwar nicht verstehe, das man aber auch nicht verstehen muß" (P 30). Man kennt aus Kafkas Werk diese Weise der negativen Eingrenzung, die Symptom der Unmöglichkeit positiver begrifflicher Festlegung ist.

Die Befangenheit K.'s in einem verengten semantischen Konzept und die Parallelität der beiden Sprachspiele gelten auch für die weiteren Kapitel. Die Skizzierung von K.'s Stationen genügt deshalb. Vor dem sonntäglichen „Tribunal" auf jenem vorstädtischen Dachboden klagt K. das Gericht an, spricht vom „Untersuchungsrichter", von den „Akten" (P 58), die sich selbst Lügen strafen. (Sie sind mit pornographischen Zeichnungen illustriert.) Hinter dem „Gericht" vermutet K. die Machenschaften einer großen „Organisation" (P 60). „Und der Sinn dieser großen Organisation, meine Herren? Er besteht darin, daß unschuldige Personen verhaftet werden und gegen sie ein sinnloses und meist, wie in meinem Fall, ergebnisloses Verfahren eingeleitet wird" (P 61). Unschuldig nennt sich K. und wird doch am Ende als schuldig umgebracht. Was wie ein Widerspruch aussieht, ist in sich stimmig. Von seiner Unschuld kann K. sprechen, insofern er seinen sprachlichen Prämissen folgt. Aber eben weil er das tut und sich weder fähig noch willens zeigt, über eine weitere Dimension nachzudenken, wird er schuldig.

Während sich K.'s Sehweise im Gespräch mit der Frau des Gerichtsdieners (P 68) bestätigt und ihn auch das Erlebnis der Gerichtskanzleien nicht eines Besseren belehren kann — er wird in der Kanzleiatmosphäre ohnmächtig und fragt sich: „Ich bin doch auch Beamter und an Büroluft gewöhnt, aber hier scheint es doch zu arg" (P 87) —, scheinen im folgenden einige Geschehensdetails aufzutauchen, die andeuten, daß sich K. von seinem eingeengten Verstehensmuster löst. Erster Beleg dafür ist das Gespräch K.'s mit seinem Onkel, der endlich offen gesagt haben möchte, „was es für ein Prozeß ist" (P 117). „Vor allem, Onkel [...], handelt es sich gar nicht um einen Prozeß vor dem gewöhnlichen Gericht" (ebd.). Man könnte geneigt sein zu glauben, K. werde einsichtig, aber er gibt keine weiteren Erklärungen ab, die das bestätigen könnten. Zweiter vermeintlicher Beleg ist das in der Bank zwischen K. und dem Fabrikanten geführte Gespräch, insofern in des Besuchers Ausführungen die beiden Bedeutungsebenen des Begriffs „Gericht" erkennbar werden (P 164). Und der Advokat Huld unterscheidet schließlich zwischen „gewöhnlichen Rechtssachen" und „diesen Rechtssachen" (P 226), doch K. kann diese Unterscheidung nicht „zur Sprache bringen".

Hulds leicht zu überlesende Feststellung bedeutet einen Fingerzeig auf die Eigentümlichkeit des Erzählwerkes; die zwei Stufen der Metapher werden zum Modell für seine Struktur genommen. Wie Kafka in der „Verwandlung" die Metapher vergegenständlichlicht und *doch* zugleich den metaphorischen, den uneigentlichen Charakter seiner Rede vom Ungeziefer etc. gewahrt wissen möchte, so wird auch im Roman eine Redeweise vergegenständlicht und die Vergegenständlichung doch zugleich permanent in Frage gestellt. Wie die Begrifflichkeit als terme connecteur fungiert, so gibt es auch Gestalten der Romanwelt, die solche — personalen — „konnektierenden Terme" darstellen. In Personalunion vereinigt Huld beide Sphären; „Verteidiger und Armenadvokat" wie auch Advokat in demjenigen Verfahren ist er, das K. überfallen hat. Die Struktur der Metapher prägt die Bauform des Romans.

„Der Gedanke an den Prozeß verließ ihn nicht mehr" (P 137). Der Prozeß bestimmt nach bekanntem Muster Josef K.'s Entscheidungen, etwa die, eine „Eingabe" zu machen — von der Huld als einer gänzlich dysfunktionalen Aktivität abrät, da erste Eingaben nach seiner Erfahrung von den Gerichten oft nicht registriert werden. K. läßt sich nicht beirren, er steigert seine Aktivitäten. Er kündigt dem Advokaten; er sucht den Gerichtsmaler Titorelli auf, um ihn als Fürsprecher zu gewinnen. Daß er bis dahin tatsächlich nichts gelernt hat, entnimmt man seinem „Begrüßungswort": „Ich bin vollständig unschuldig" (P 179), doch der Maler kann nur feststellen: „Sie scheinen noch keinen Überblick über das Gericht zu haben" (P 181).

Der Geistliche im Dom-Kapitel bedeutet schließlich den letzten vom Romanpersonal unternommenen Versuch, K. seine begriffliche Verengung und die daraus entspringende Fehleinstellung zu dem Verfahren, in das er in Wahrheit verwickelt ist, vor Augen zu stellen. Doch er bleibt begriffsstutzig und muß dafür büßen. Er wird strafweise umgebracht.

Josef K. ist nicht ausgestoßen, aber er bleibt außerhalb einer Gemeinschaft Die Anderen teilen eine Eigenschaft: „Ils sont dans le vrai" (F 637). Sie exemplifizieren deshalb Kafkas Erkenntnisproblem; weil sie innerhalb eines Systems stehen, bleibt es ihnen vorenthalten, sich über dieses System als Ganzheit äußern zu können. Sind sie auch in ihrem Wissen von K. unterschieden, so können sie doch keine positiven Aussagen über das „Gericht" machen. Ob es wirkliche Freisprüche gibt, vermag Titorelli nicht zu sagen. Das Wissen darum verflüchtigt sich bald in die Legende. Die Wege des Gerichts sollen „unberechenbar" (P 121) sein; Mitglieder der Behörde wissen nicht um das Gesamtphänomen (P 190). Das stimmt zum „Leben in der Wahrheit". Titorellis Bemerkung über die Möglichkeit von Freisprüchen ist exemplarisch für Aussagen über die Gerichtssphäre überhaupt: „Man kann [...] in dieser Hinsicht nichts Bestimmtes sagen" (P 192) — wie er mit einer stehenden Wendung Kafkas erklärt. In dieselbe Richtung wie Titorelli zielen der Advokat Huld und der Kaufmann Block; auch er ist Angeklagter, aber einer, der schon länger Erfahrung mit der Behörde sammeln konnte. Von ihm erfährt K., für vieles mit dem Gericht Zusammenhängende reiche der Verstand nicht und deshalb flüchte man sich in den „Aberglauben" (P 209). Die enge Verwandtschaft der beiden späteren Romane tritt erneut hervor.

Wenn man über die Bedeutung der zentralen Begriffe nachdenkt, wird man sich also nicht auf die Kompetenz des Personals im Dunstkreis des Gerichtes berufen können. Beschrieben werden muß die Objektität des Gerichts, sofern sie sich lokal, temporal und personal manifestiert. Möglicherweise erreicht die Deskription den Punkt, an dem sich aus der Explikation eine stimmige Interpretation entfaltet.

Die Menschen in K's Umgebung sind Gerichtspersonen. Drei Bankangestellte, zugleich Funktionsträger des Gerichts, sind bei K's Verhaftung zugegen (P 25). Sie treten erneut auf, wie K. zur ersten Gerichtsverhandlung erscheint (P 46). Sowohl Huld (P 126) als auch der erwähnte Fabrikant (P 136) sind schon vor ihrem Kontakt mit K. in dessen Angelegenheit eingeweiht. Der Geistliche im Dom ist mit dem „Gefängniskaplan" identisch (P 252). „Alles" gehöre zum Gericht, auch die befremdlichen Mädchen in seinem Vorstadthaus, belehrt Titorelli K. Die genannten Daten sind Abbreviaturen des Gerichts. — Daß Kafka Camouflage treibt, indem er offenkundig absichtlich Spuren der Werkentstehung verwischt und solche Passagen streicht, die allzu schnell erklärungserleichternde Daten liefern könnten, ist bekannt. Hier ist von dem Traum K's in dem unvollendeten Kapitel „Ein Haus" zu sprechen, das im Anhang zum Roman abgedruckt ist. K. liegt nach den Bürostunden auf seinem Kanapee; im „Halbschlaf" ist ihm, „als sei er der einzige Angeklagte und alle anderen gingen durcheinander wie Beamte und Juristen auf den Gängen eines Gerichtsgebäudes" (P 292). „Wie ein anklagender Chor" treten insbesondere Frau Grubachs Mieter auf, und daß unter denen Fräulein Bürstner Gegenstand von K's besonderer Aufmerksamkeit ist, wirft ein Licht auf den möglichen Sinngehalt des Romans.

Wie Personen des Gerichts mit Personen der außergerichtlichen Realität identisch sind, so tritt das Gericht überall auf: in den einander entgegengelegenen Vorstadtvierteln, auf Dachböden unterschiedlicher Stadtbezirke, in der Bank, in der K. angestellt ist. Der räumlichen Extensität des Gerichts entspricht die zeitliche. In beiden Romanen tendieren Beamtentätigkeit und Lebensvollzug zur Kongruenz. Zur Lebensarbeit könnte die Eingabe geraten, die K. entgegen der Empfehlung Hulds machen möchte. (P 154) Die Dauer von Prozessen ist unabsehbar, und die Vergangenheit des Gerichts verliert sich in mythische Fernen.

Zu fragen ist ferner danach, ob das Gericht bestimmte Wirklichkeitszonen bevorzugt und so dem Leser zu besonderer Beachtung empfiehlt. Tatsächlich ist die Sphäre des Gerichts vorzüglich die der Slums, der städtischen Elendszonen. Titorelli haust in solch einem abscheuerregenden Viertel. Es paßt zu der sozialen Deklassierung der in diesen Bereichen vegetierenden Menschen, daß die „politische Bezirksversammlung" (P 52), als die die erste von K. besuchte Gerichtsversammlung schließlich bezeichnet wird, ursprünglich eine „sozialistische Versammlung" sein sollte (P 306).

Variationen eines Motivs bilden der kropfige Knabe im „Blumfeld", das bucklige Mädchen im Umkreis Titorellis, die Advokatendienerin Leni mit ihrem Körperfehler. Blumfeld, durch das schlechthin entsetzliche Vorkommnis mit den Zelluloidbällen aus seiner Lage gebracht, wird dafür frei, einen als häßlich übersehenen oder gar verstoßenen Menschen ins Auge zu fassen und Ansätze von liebender Zuneigung zu zeigen. Unter dem Eindruck des gerichtlichen Procedere sieht Josef K. mit einem Male Menschen, die deformiert sind. Hierzu wie zu der eben erwähnten sozialen Deklassierung stimmt der Hinweis (P 80f.), daß die Angeklagten in der Regel den höheren Klassen entstammen. Die verdrängt haben, werden mit dem bis dahin Verdrängten konfrontiert: Darin besteht ihr Verfahren.

Zuletzt ist zu vermerken, daß in dem Maße, in dem K. in die Gerichtswelt hineinwächst, Eros und Sexus an Bedeutung gewinnen. Zu denken ist an Fräulein Bürstner, die Mädchen im Titorellischen Kontext, die Frau des Gerichtsdieners, schließlich Leni. Hierher gehören ferner die mit pornographischen Zeichnungen verzierten Gerichtsakten und die eindeutigen Handgreiflichkeiten im Gerichtssaal.

Die Erhebung der Daseinsbereiche erhellt die Chiffre des Gerichts. Die Funktion des Gerichtsverfahrens besteht darin, daß Josef K. solche Aspekte des Lebens ad oculos demonstriert werden, die für seine bürgerliche Existenz nicht vorhanden waren. K. war und ist der reduzierte Mensch, der, allein auf seine Karriere bedacht und dem Verhaltenskodex abgehoben lebender Kreise verpflichtet, ganze Bereiche des Menschseins ausblendet, während das Gericht — nach dem hier vorgetragenen Verständnis — eine andere Bezeichnung für die Tatsache der Lebensganzheit ist. Besäße K. die Tugend der Offenheit, wäre er fähig, auf andere hin zu leben, statt sich von der Gesamtheit abzukehren und abzuschließen, so würde er erkennen, daß er integrierendes Glied des Ganzen, daß er einer menschheitlichen Gemeinschaft *verhaftet* ist. Er ist nicht verhaftet, weil er schuldig ist, sondern er ist schuldig, weil er nicht begreifen kann und will, daß er einem größeren Ganzen *verhaftet* ist. Josef K. und K. sind identische Gestalten in unterschiedlichem Gelände.

Die Leugnung seiner Verhaftung in einem ganz anderen als dem juristischen Sinn macht K's Schuld aus. Diese Verhaftung tritt, objektiv gesehen, hervor, sobald sich der „Prozeß" anbahnt; nur durchschaut K. die Phänomene nicht, wohingegen für den auf dem archimedischen Punkt außerhalb stehenden Leser der Wirkzusammenhang deutlich hervortritt. K. hatte kaum Zeit, Fräulein Bürstner zu grüßen (P 19); der Beginn des Prozesses aber markiert den Beginn von K.'s Interesse an ihr. K. bekümmere sich nicht viel um die Pension und ihre Gäste, sagt Fräulein Montag (P 98). Daß das Defizit plötzlich zum Thema werden und ausgesprochen werden kann, ist das Bemerkenswerte. Genauso kommt — nach Prozeßbeginn — zur Sprache, daß sich K. nicht ausreichend um seine in der Stadt weilende Cousine Erna bemüht hat, die dort als Gymnasiastin in einer Pension wohnt. Einem nachgelassenen Kapitel ist zu entnehmen, K. habe seine erblindet auf dem Land lebende Mutter drei Jahre lang ignoriert, und wie er sie nun endlich wieder aufzusuchen beschließt, ist nicht Altruismus sein Motiv; vielmehr spielt für ihn die Überlegung eine Rolle, so könne er sich dem Gericht entziehen. Diese letzte Episode ist exemplarisch: Das Gericht lenkt den Blick auf Abseiten des Menschenseins, auf die durch den eindimensional Lebenden Verdrängten: die Kranken, die Elenden, die Armen, die Outsider.

Daß Befreiung erst in der Hingabe möglich wird, sollte K. vorgeführt werden, doch K.'s schuldhafter Uneinsichtigkeit entspricht auch das Versagen des Gerichts. Aber dieses Versagen resultiert aus K.'s Borniertheit. Wie ein Leitmotiv mit Gleichmaß auf das Ganze verteilt, begegnet das Motiv der Freiheit in der Hingabe. Erstmals beklagen die Wärter: „Daß Sie sich in Ihre Lage nicht fügen" (P 40). Die auffallend zentral stehende Belehrung K.'s durch die Advokatendienerin Leni trifft das Zentrum des Gedankens unmittelbar: „Sie sind zu unnachgiebig [...] Stellen Sie [...] Ihren Fehler ab, seien Sie nicht mehr so unnachgiebig, gegen dieses Gericht kann man sich ja nicht wehren, man muß das Geständnis machen. Machen Sie doch bei nächster Gelegenheit das Geständnis. Erst dann ist die Möglichkeit zu entschlüpfen gegeben, erst dann" (P 132f.). Titorelli erklärt, es sei „das einzig Richtige [...], sich mit den vorhandenen Verhältnissen abzufinden" (P 146). Aber K. begreift nicht. Nur zuletzt, in unmittelbarer Todesnähe, dämmert die Einsicht in das, was sich gehört hätte. „Soll ich nun zeigen, daß nicht einmal der einjährige Prozeß mich belehren konnte? Soll ich als ein begriffsstütziger Mensch abgehen?" (P 269). Bezeichnend dafür, daß K. seine ursprüngliche Haltung nicht aufgibt, ist diese Bemerkung: „Trotz allem Entgegenkommen" K.'s gegenüber den Henkern „blieb seine Haltung eine sehr gezwungene und unglaubwürdige", und obwohl er weiß, er sollte das Messer selbst nehmen und sich ins Herz bohren, handelt er nicht so: „Vollständig konnte er sich nicht bewähren" (P 271).

Eine Betrachtung, die die Sprache nicht einfach überspringt und dem eigentlichen Ziele der Erkenntnis: der Entdeckung der Sinndimension, nicht auf einem vermeintlich direkten Wege zustrebt, eine solche Betrachtung vermag im Gegenteil zu erweisen, daß es die sprachliche Analyse ist, über die der Weg in die mutmaßliche Sinnmitte des Erzählwerkes führt. Die Figuration des Romans verdankt sich nicht der Komposition empirisch oder halluzinatorisch gewonnener Sujets; sie entfaltet sich aus dem Sprachbesitz, genauer: aus dem besonderen semantischen Konzept des Protagonisten. Damit wird nicht behauptet, der Roman thematisiere sprachliche Fragen; geboten werden sollte lediglich ein Beitrag dazu, die Bauform und die Handlungsführung des Romans zu erklären.

§ 22. „Das Schloß"

Im Zentrum des Romans steht der Versuch eines Einzelnen, in eine Ganzheit (über deren Qualität vorerst nichts gesagt sei) aufgenommen und als ihr Glied anerkannt zu werden. Dieser Versuch ist zugleich der der Identitätsfindung. In diese Richtung weist die Berufsangabe K.'s, auf die vom Ende des (Fragment gebliebenen) Romans Licht fällt, als die Herrenhofwirtin (S 492) erklärt, K. sage nicht die Wahrheit, wenn er sich als Landvermesser ausgebe. Natürlich sagt er die Wahrheit nicht, denn die Berufsangabe hat eine metaphorische Komponente und weist auf denjenigen, der seine eigene Existenz ortet oder, um einen Begriff aus dem Goetheschen Wortschatz aufzunehmen, „bepfählt". Der Wunsch, zu vermessen, korrespondiert dem Gefühl der Entfremdung. Von den Stunden ist die Rede, „in denen K. immerfort das Gefühl hatte, er verirre sich oder er sei soweit in der Fremde, wie vor ihm noch kein Mensch, eine Fremde, in der selbst die Luft keinen Bestandteil der Heimatluft habe, in der man vor Fremdheit ersticken müsse" (S 68f.). K.'s Not besteht darin, als einer, der Aufnahme, Befreiung und Erlösung in einem übergreifenden und übergeordneten Ganzen sucht, nicht aufgenommen zu werden, fremd zu bleiben und sich damit auch nicht zu sich selbst befreit zu finden.

Die Frage, welche Gründe es dafür gibt, ist mit der Frage nach K.'s Schuld gleichbedeutend. Diese hat zumindest zwei Dimensionen, die aber auf dieselbe Grundtatsache zurückweisen. Axiome der Person K. sind deren Egozentriertheit und Solipsismus. K. ist gänzlich befangen im eigenen point de vue, der ihm mit einem unreflektiert bleibenden Vorwissen mitgeliefert ist, über dessen sprachliche Komponente (um es vorerst mit dieser Behutsamkeit zu sagen) im folgenden zu handeln ist. Signifikant ist seine Unfähigkeit zu derjenigen Tugend, um die Rilkes Dichten kreist: Da es K. an der für die rechte Bezugsstiftung notwendigen Offenheit fehlt, muß er als natürlich gegeben betrachten, was tatsächlich nur Projektion seines eigenen Bewußtseins auf eine wie immer geartete Wirklichkeit ist.

Symptom des bezeichneten Mangels ist K.'s undialektischer Freiheitsbegriff. Er will in ein größeres Ganze aufgenommen sein; zugleich will er aber, obgleich um Aufnahme ringend, souverän bleiben. Er verhandelt mit einer mutmaßlichen Institution als deren Antagonist, der eigene Positionen nicht aufgeben will. Er erkennt nicht das dialektische Miteinander von Selbstentäußerung und Selbstbestimmung. Er realisiert nicht, heißt das, den Zusammenhang zwischen partieller Aufgabe seiner selbst in der Hinwendung zu anderen und wahrhafter Freiheit. *Frei* in der Romanwelt ist die Barnabas-Familie, nämlich vogelfrei.[1]

Es entspricht K.'s solipsistischer und pseudosouveräner Konzeption, daß er, wo Hingabe gefordert ist, der Institution und der von ihr repräsentierten Ganzheit (über deren Qualität romanintern und -extern Unklarheit herrscht), handelnd entgegentritt und sich als Handelnder stetig von seinem Ziel entfernt. Die Kafkasche Maxime ist bekannt, daß der Handelnde eben dadurch, daß er handelt, schuldig wird. Ein Vergleich mit der antiken Tragödie liegt nahe.

K.'s verengtes Freiheitskonzept findet verschiedentlich Ausdruck. Seine „Freiheit" spielt als Kriterium bei den Überlegungen eine Rolle, die er zu seinen Kämpfen mit dem Schloß anstellt (S 12). Josef K. nicht unähnlich, will sich K. keiner Konvention unterwerfen: „Ich will immer frei sein" (S 14). Von diesem Bedürfnis, als „frei" anerkannt zu werden, zeugen seine gegenüber dem Vorsteher unternommenen Versuche, den Brief Klamms zu deuten. Erst sehr zögerlich dämmert bei K. das Bewußtsein der gänzlichen Fragwürdigkeit seines Konzeptes. Am Ende der Schlittenszene im Innenhof des Herrenhofes wird etwas davon sichtbar. „[D]a schien es K. als habe man nun alle Verbin-

---

1. Die gegenteilige Position vertritt: Wolfgang Binder, Das stumme Sein und das redende Nichts. Ein Aspekt des Schloß-Romans. In: W. B., Aufschlüsse. Studien zur deutschen Literatur. Zürich und München 1976, S. 369-384.

dung mit ihm abgebrochen und als sei er nun freilich freier als jemals und könne hier auf dem ihm sonst verbotenen Ort warten solange er wolle und habe sich diese Freiheit erkämpft wie kaum ein anderer es könnte und niemand dürfe ihn anrühren und vertreiben, ja kaum ansprechen, aber — diese Überzeugung war zumindest ebenso stark — als gäbe es gleichzeitig nichts Sinnloseres, nichts Verzweifelteres als diese Freiheit, dieses Warten, diese Unverletzlichkeit" (S 169). Die strukturellen Übereinstimmungen mit dem „Prozeß"-Roman sind unverkennbar und brauchen nicht eigens aufgezeigt zu werden. An Leni läßt im vorliegenden Teilzusammenhang Frieda denken, die (S 67) als fröhlich und frei bezeichnet wird: Die Kopula ist nicht additiv, sondern explikativ gemeint. Das diametral entgegengesetzte Freiheitskonzept verkörpern die Barnabas-Mädchen, von deren Vogelfreiheit gesagt wurde, allenfalls in sie könne K.'s Freiheitssuche münden. Im Sinne der hier vorgenommenen Beschreibung kann K.'s Verfluchung durch Frieda verstanden werden: „Geh doch zu Deinen Mädchen [...] Du bist frei" (S 400f.): Gleichgestellte gesellen sich einander oder: K. geselle sich den Vogelfreien. Nach diesen Feststellungen muß interessieren, daß sich K. im Halbschlaf in Bürgels Bett frei fühlt. „Er hörte Bürgels Worte vielleicht besser als während des frühern totmüden Wachen, Wort für Wort schlug an sein Ohr, aber das lästige Bewußtsein war geschwunden, er fühlte sich frei" (S 415). Befreiend wirkt die Begriffsblindheit: Nur als Klangkörper werden Bürgels Worte erfahren, denn das „Bewußtsein" ist geschwunden. Die als Wohltat empfundene Regression verdankt sich dem Augenblick, in dem der Verbalismus des Protagonisten außer Kraft gesetzt ist.

Dieser Verbalismus bildet die tiefere Ursache für K.'s Fehlverhalten. Von den mindestens zwei Dimensionen der K.'schen Schuld war die Rede. Nach den Axiomen ‚Egozentrik' und ‚Solipsismus' ist die Tatsache anzuführen, daß K. Aufnahme in eine Totalität sucht, ohne diese zu akzeptieren. Er scheidet wie selbstverständlich zwischen Dorf und Schloß. Sein Hochmut, der ihn nur mit dem Schloß verhandeln lassen will, weist auf eine weitere Bedeutungskomponente, die im „Landvermesser" angelegt ist (Vermessenheit, Hybris).

Beachtung verdienen die sprachlichen Implikationen von K.'s Apperzeption und seine daran sich knüpfende Handlungsweise. Gesehen hatte K. das Schloß, als er sich dem Dorfe näherte, gar nicht. „Ist denn hier ein Schloß?" (S 8), lautet seine erstaunte Frage, als man ihm im Brückenhof eröffnet, er könne dort nicht übernachten, da er sich als von außen Kommender nicht im Schloß aufhalten dürfe, und das Dorf sei Teil des Schlosses. Das Schloß erscheint als sprachliches Datum, und sprachlich prädisponiert ist K.'s Sicht des Sujets.

Am Morgen nach der ersten Nacht im Brückenhof erkundet K. sein neues Wirkungsfeld. Sein besonderes Augenmerk schenkt er dem Schloß. „Im Ganzen entsprach das Schloß, wie es sich hier von der Ferne zeigte, K.'s Erwartungen. Es war weder eine alte Ritterburg, noch ein neuer Prunkbau, sondern eine ausgedehnte Anlage, die aus wenigen zweistöckigen, aber aus vielen eng aneinanderstehenden niedrigern Bauten bestand; hätte man nicht gewußt daß es ein Schloß ist, hätte man es für ein Städtchen halten können" (S 17). Die Aussage birgt einen Widerspruch in sich. Begriff und Anschauung widerstreiten einander. Das Schloß soll Erwartungen entsprechen, zugleich aber werden diese Erwartungen vom empirisch Vorfindlichen Lügen gestraft. Das Vor-Urteil dominiert das Gesehene. K.'s Vorwissen ist im sprachlichen Element ‚Schloß' enthalten. Zwar besteht die Diskrepanz von Begriff und Phänomen, aus ihr werden jedoch keine Handlungskonsequenzen gezogen. K.'s Verhalten bildet ein Musterbeispiel für den von Weisgerber beschriebenen Sprachrealismus, denn er fügt sich unreflektiert dem Leitwert des sprachlichen Zeichens und projiziert ein sprachliches Konzept auf eine irgendwie geartete Realität. Das bestätigt sich im weiteren Fortgang des Erzählens. „Die Augen auf das Schloß gerichtet, gieng K. weiter, nichts sonst kümmerte ihn. Aber im Näherkommen enttäuschte ihn das Schloß, es war doch nur ein recht elendes Städtchen, aus Dorfhäusern zusammengetragen, ausgezeichnet nur dadurch, daß vielleicht alles aus Stein gebaut war, aber der Anstrich war längst abgefallen, und der Stein schien abzubröckeln. Flüchtig erinnerte sich K. an sein Heimatstädtchen, es stand diesem angeblichen Schlosse kaum nach" (ebd.). Der Konflikt von Antimentalismus und Mentalismus ist offenkundig. K.'s Sprachverhaftetheit desavouiert seinen Augensinn. Wie der Redensart zufolge Kinder und Narren die Wahrheit sagen, erklärt auch K. das Schloß zum Resultat einer sprachlichen Setzung („angeblich"), fühlt sich aber nicht dazu veranlaßt, den Worttrug zu durchbrechen. Der Versuch der biographistischen Forschung hat nur beschränkte Berechtigung, die Frage zu beantworten, wo Kafkas Schloß gelegen habe.[2] K.'s Bemerkung von der bloß angeblichen Existenz der Baulichkeit wie auch die hier vorgenommene Exegese weisen auf das methodologisch Fragwürdige einer solchen biographischen Erkundung. Das Schloß ist vorhanden — in der Sprache nämlich.

Das aus dem „Prozeß" bekannte Muster der Textentwicklung begegnet erneut. Wie die „Verhaftung" erscheint das „Schloß" als sprachliches Motiv. Das erste Wort setzt die in absentia vorhandenen Begriffe frei, und diese formieren K.'s Denken. (Das Schloß liegt „oben"; in ihm gilt eine besondere Verhaltenskonvention; S 14). Auch diese Romanfigur flankieren Akte der (sprachlichen) Gegensteuerung. So warnt der Brückenhofwirt K.: „Du kennst das Schloß nicht" (S 15). Tatsächlich kennt K. nicht das Konzept, das sich hin-

2. Klaus Wagenbach, Wo liegt Kafkas Schloß? In: Kafka-Symposion S. 161-181.

ter dem Wortkörper verbirgt. Daß K. auf die sprachlich entworfene Entgegensetzung von ‚Schloß‘ und ‚Dorf‘ fixiert ist, entnimmt man seinen Überlegungen, die er an den ersten Brief anknüpft, der ihn aus dem Schloß erreicht. Nur weil für ihn die Dichotomie der beiden Örter Axiom ist, kann er sich Gedanken machen, „ob er Dorfarbeiter mit einer immerhin auszeichnenden aber nur scheinbaren Verbindung mit dem Schlosse sein wollte oder aber scheinbarer Dorfarbeiter" (S 42). Diese Überlegung ist relevant für denjenigen, der aus der Position des Souveränen und Freien mit einem Gegner umgehen möchte — dessen Status jedoch bloß infolge des grundlegenden sprachlich-epistemologischen Mechanismus eingebildet ist, der die Gliederung der Romanwelt bedingt.

Die begrifflich prädisponierte Schloß-Auffassung hat ihr Pendant in der Weise, in der K. den ihm bis dahin unbekannten Gehilfen entgegentritt (S 31f.). K. sieht die Unbekannten, sein eigentliches Sensorium ist jedoch das seiner Begrifflichkeit. Es genügt, daß seine Partner ihm erklären, sie seien die alten „Gehilfen", und sie sind für K., was sie behaupten. Nicht sinnliche Erfahrung, sondern begriffliche Steuerung reguliert K.'s Verhalten gegenüber der Umwelt.

Es stimmt zu dem Dargelegten und darf als konsequente Verwirklichung des K.'schen Sprachrealismus angesehen werden, wenn nicht erkannt wird, daß das Dorf lediglich im Schloß enthalten ist, dessen anderen Aggregatzustand es manifestiert. Andeutungen dessen sind über den Roman verteilt: Nach Aussage des Lehrers besteht kein großer Unterschied zwischen den Bauern und dem Schloß (S 20). Das Dorf gehört dem Schloß — es hat, wer im Dorf übernachtet, gewissermaßen im Schloß übernachtet (S 8). K. ist nicht nur im Schloß persona non grata (S 38); die Brückenhofwirtin sagt nichts Falsches, wenn sie erklärt, niemand würde K., wenn sie ihn ihres Hauses verwiese, aufnehmen; nicht einmal in einer Hundehütte fände er eine Bleibe (S 85). Die Mutter des kleinen Hans Brunswick bezeichnet sich als ‚Mädchen aus dem Schloß‘ (S 25). Die Sphären greifen personell ineinander. Nirgendwo verflechten sich, so stellt es sich für K. dar, Amt (Schloß) und Leben (Dorf) so sehr, wie er es an seinem neuen Aufenthaltsort erlebt (S 94). Dafür kann K. darauf hinweisen, daß sich sein „Vorgesetzter" im Herrenhof befindet, wie er ihn zum ersten Mal, Olga begleitend, betritt (S 58). Daß alle Dorfbewohner zum Schloß gehören, sagt auch Olga. Für die Neuorganisation der Schloßfeuerwehr schließlich sind Instruktoren aus dem Dorf unverzichtbar (S 317). Alle diese Indizien aus dem Munde derjenigen, die nicht alles wissen können (s.u.), aber mehr als K. wissen, haben ebenso wie die von K. registrierten Beobachtungen den Status von flankierenden semantischen Korrektiven.

Die zahlreichen Fälle kommunikativer Störungen im Kontakt mit den

Dorfbewohnern sollten K. ebenfalls als Warnung vor seinem unreflektierten Sprachgebrauch dienen. Objektiv besehen, deuten die gestörten Kommunikationsabläufe auf den Sachverhalt, der aus dem „Prozeß" bekannt ist: K. repräsentiert ein Sprachspiel, das nicht das der Dorfgemeinschaft ist. Die beizuziehenden Belege mögen als einzelne belanglos und bloß von der vordergründigen Handlung motiviert erscheinen. Ihre eigentliche Bedeutsamkeit zeigen sie im Ensemble.

K. versteht das schnelle Sprechen der Schulkinder nicht (S 19). Er hört nicht, was der Alte sagt, der die Tür des Gerberhauses öffnet, nachdem er einen Schneeball gegen das Fenster geworfen (S 22). Nach kurzem Aufenthalt wird K. vom Gerbermeister und dem Alten schweigend zur Tür gezogen (S 25). Ein Beleg, der das Wort von den verschiedenen Sprachspielen, die im konnektierenden Term ununterscheidbar enthalten sind, nahelegt, ist mit dem kurzen Wortwechsel zwischen dem Fuhrmann Gerstäcker und K., wohin die Schlittenfahrt gehen solle, gegeben. „,Ihr seid doch der Landvermesser', sagte der Mann erklärend, ,und gehört zum Schloß. Wohin wollt ihr denn fahren?' ,Ins Schloß' sagt K. schnell. ,Dann fahre ich nicht' sagte der Mann sofort. ,Ich gehöre doch zum Schloß', sagte K., des Mannes eigene Worte wiederholend. ,Mag sein', sagte der Mann abweisend" (S 28). Die Kommunikation mit Gerstäcker bleibt gestört: Letzterer geht auf K.'s Anerbieten, er möge sich zu ihm auf den Schlitten setzen, nicht ein. Und „Gerstäcker kümmerte sich nicht darum" (S 30), daß K. ihn, schon in der Nähe des Brückenhofes, fragt, wieso er, Gerstäcker, ihn überhaupt auf eigene Verantwortung herumfahren dürfe. — K. fragt einmal den Schloß-Boten Barnabas, warum er nach Hause zurückgekehrt sei; ob die Barnabas-Familie „im Bereich des Schlosses" wohne (S 51). Diese Formulierung irritiert Barnabas merklich. Er wiederholt sie, „als verstehe er K. nicht" (ebd.). Vom „Mißverständnis" ist während der Vergegenwärtigung desselben Gesprächs noch zweimal die Rede (S 52). Von kommunikativen Unschärfen ist auch die erste Begegnung von Frieda und K. überschattet (S 64). — Als sprachliches Problem unmittelbar angesprochen wird der hier dokumentierte Sachverhalt im vierten der den Roman prägenden Lehr-Gespräche, in welche Mitglieder der Dorfwelt K. verwickeln. Gleich zweimal betont da die Brückenhof-Wirtin, K. verdrehe ihre Worte. Er verdreht nicht ihre Worte, sein Lexikon weist lediglich andere Interpretamente zu den Lemmata auf, die er mit Abgesandten der Gegenpartei, in diesem Fall der Wirtin, teilt (S 181). —

Barnabas überbringt dem „Landvermesser" einen Brief aus dem Schloß, in dem die vermeintliche Behörde ihre Zufriedenheit mit den bis dahin ausgeführten „Landvermesserarbeiten" äußert. K. kann das nur mit dem Begriff des „Mißverständnisses" quittieren. „Barnabas verstand ihn nicht" (187f.). Dar-

113

aufhin wiederholt K. seine Einschätzung des Vorganges. Aber es bleibt dabei, daß seine Bemerkung vom Mißverständnis bei Barnabas auf Unverständnis stößt. Es bekümmert K., „daß ihn Barnabas sichtlich nicht verstand" (S 188). Viermal wird im engeren Kontext auf den Kommunikationsbruch und so mittelbar auf die Zweizahl der Sprachspiele gedeutet. Diesmal ist es der Begriff des „Landvermessers", der die Rolle des verbindenden Terms spielt. K. durchschaut die semantische Plurivalenz des Begriffs nicht. An das „Bepfählen" der persönlichen Existenz, an das Orten einer Lebensposition denkt er nicht, da er auf den vordergründigen und vermeintlich „eigentlichen" Wortsinn fixiert ist. Spät noch löst K.'s Frage, ob denn Erlanger ‚oben entbehrlicher' sei als Klamm (S 380), bei den mit ihm vor dem Herrenhof auf ihre Verhöre wartenden Bauern Spott und betretenes Schweigen aus.

Wenn es so ist, daß das Dorf das angebliche Schloß im Zustande seines Außersichseins darstellt bzw. sich Dörfliches schloßhaft verdichtet, nimmt es nicht Wunder, daß zwischen Dorf und Schloß und erst recht K. und Schloß etwas abläuft, das die Bezeichnung „Kommunikation" nicht verdient. Die Erwähnung dreier Daten soll an dieser Stelle als Beleg genügen. (1) Wie K. am Abend des ersten Tages zum Telefon greift, um sich im Schloß Klarheit über seinen Verbleib zu schaffen, tönt aus der Hörmuschel ein undefinierbares Geräusch, das an das „Summen zahlloser kindlicher Stimmen" (S 36) etc. denken läßt. (2) Wie sich schließlich ein Mann mit Namen „Oswald" meldet, der ihm eröffnet, „niemals" dürfe der Landvermesser ins Schloß kommen, wird gleich zweimal (S 36, 37) Oswalds „Sprachfehler" erwähnt. Man wird das nicht für einen Zufall halten oder als beiläufige Bemerkung überlesen. (3) K., der darauf beharrt, mit Klamm reden zu wollen, wird die gänzliche Aphonie dieses Mannes vorgehalten. Er werde nicht mit ihm sprechen, er spreche nicht einmal mit einem Dorfbewohner (S 80).

Die Welt des Romans ist in Eis und Schnee getaucht. Daß es sich bei dieser auf ihren gegenständlichen Gehalt zurückgeführten klimatologischen Metapher um einen Hinweis auf den Mangel an Mitmenschlichkeit handelt, ist eine Annahme, die angesichts des auffälligen Kommunikationsdefizits überzeugt. Das Wort Kafkas von der bitterkalten Welt, in der er lebe, mag den sprachlichen Ursprung der Szenerie vergegenwärtigen. Dabei darf die Bedeutung des Roman-Klimas nicht auf ‚defizitäre Mitmenschlichkeit' eingeengt werden. Sie hat diese Bedeutung, insofern ihr noch eine weitere, tiefergehende, eignet, über die noch zu handeln ist. Immerhin gibt es zu denken, daß im Schloß weniger Schnee als im Dorf liegt.

Erwähnenswert ist, daß vom Schnee nicht irgendwann, sondern in solchen Kontexten gesprochen wird, die für die Semantisierung des klimatologischen Datums von einiger Relevanz sind: K., vom Gerbermeister auf die Gasse geschoben, wird von den ängstlich lauernden Hausinsassen observiert. In dem Moment heißt es: „Es fiel wieder Schnee" (S 25, ähnlich S 27). „Neuer Schnee fiel" (S 47), als K., vor den Brückenhof getreten, vergeblich nach Barnabas ruft, der den Schankraum gerade erst verlassen. Beide Belege sind für einen Zusammenhang exemplarisch, der den gesamten Roman hindurch aktuell bleibt. Intensivierung des Schneefalls signalisiert, daß sich Menschlichkeit entzieht. Daß die Deutung der klimatologischen Chiffre nicht nur für die Beziehung von K. zu den Dörflern, sondern auch innerhalb der dörflichen Gemeinschaft, wenn dieses Wort überhaupt gesetzt werden darf, ihre Gültigkeit besitzt, zeigt u.a. die Bemerkung von den „kalten" Worten (S 60), die Olga und Frieda wechseln. Dazu stimmen die ausführlicheren Bemerkungen Pepis am Ende des Fragments. K., der nach dem Beginn des Frühjahrs fragt, erlebt erneut, daß man seine Worte bloß verständnislos wiederholt, und muß sich dann sagen lassen: „[D]er Winter ist bei uns lang, ein sehr langer Winter und einförmig [...]. Nun, einmal kommt auch das Frühjahr und der Sommer [...], aber in der Erinnerung, jetzt, scheint Frühjahr und Sommer so kurz, als wären es nicht viel mehr als zwei Tage und selbst an diesen Tagen, auch durch den allerschönsten Tag fällt dann noch manchmal Schnee" (S 488), — Um die tiefere Bedeutungsschicht des Klimas im Roman zu erschließen, bedarf es der flankierenden Betrachtung einer zweiten vergegenständlichten Metapher: Die meisten Episoden spielen in der Dunkelheit.

Die Rede vom Schloß besteht aus einer Reihe von Exegesen, die in ihrer Wortwörtlichkeit einem tatsächlich auf die Worte achtenden K. klarmachen könnten, daß das Problem der Beschäftigung mit dem „Schloß" genannten Gebilde auf dem sprachlichen Plan aufzusuchen ist. Das Rätsel des Schlosses ist mit dem Problem seiner sprachlichen Konstituierung identisch.

Das zweite große Gespräch, das mit dem Dorfvorsteher, liefert dafür Belege und stützt zugleich die These von der exegetischen Qualität des Romans „[W]er darf denn endgiltig sagen" (S. 104) (daß in K.'s Angelegenheit ein Fehler gemacht worden ist). „Aber wer darf behaupten" (S 105), daß die einzelnen Kontrollämter gleich entscheiden? Beide Belege, die in ihrer Gleichförmigkeit blicklenkend wirken könnten (für K. wie für den Leser), sagen nichts anderes, als daß man die signifiants für — man weiß nicht welche Sache hat. Sprachliche Zeichen werden als Suchhilfen ins unbekannte Gelände gehalten, und sie finden nicht — ein Vorgang, der sich wiederholt. Wenn der Vorsteher K. entgegenhält: „Sie sind noch weit entfernt vom Verständnis für die Behörde" (S 107), so ist damit erneut auf die Problematik hingedeutet. Und das gilt durchaus, denn der Vorsteher spricht nicht nur von K..

Im Verlauf des Gesprächs verdeutlicht sich dessen semasiologischer Charakter. Denn es geht um Sprachregelungen, um das Besprechen von Sprache. Die metasprachliche Funktion rückt in den Vordergrund, und die semantischen Differenzen werden dabei offenkundig. Das zeigt sich am Begriff des „Landvermessers", der im ersten Brief Klamms an K. erscheint (S 112). Die Exegese des Briefes verdeutlicht die Tatsache der unterschiedlichen Sprachspiele. Daß die Annäherung an das ‚Schloß' ein bedeutungskundliches Unternehmen, daß der Roman insofern ein „linguistischer Roman" ist, wird im folgenden merklich. K. mißversteht Klamms Brief als dienstliches Schreiben, wo er doch, wie der Vorsteher erklärt, privaten Charakter hat. „Ein Privatbrief Klamms hat natürlich viel mehr Bedeutung als eine amtliche Zuschrift, nur gerade die Bedeutung, die Sie ihm beilegen, hat er nicht" (S 115).

Für den gesamten Roman gilt: Die auf ihr Klangbild reduzierten Zeichen kann man zwar lesen, aber nicht verstehen. Der Vorsteher nimmt K.'s Begriff („Bedeutung") auf — „an einem Wort sich festhaltend" (S 117). Der Blick wird entschieden auf die Zeichenebene gelenkt; gleich fünfmal spricht der Vorsteher von „Bedeutung" (ebd.). Nur K. mangelt es an der notwendigen Bedeutungskompetenz. Die Bemerkung des Vorstehers ist bloß auf den ersten Blick rätselhaft: „Sie haben darin recht, daß man die Äußerungen des Schlosses nicht wortwörtlich hinnehmen darf" (S 118). Natürlich hat K. recht, denn ihm fehlt — wie Josef K. — die Fähigkeit, Metaphorik und Polysemie in den Vorgang der Entschlüsselung einzubringen.[3]

Es ist für die besondere Qualität des Romans kennzeichnend, daß K., wenn er, im 3. Lehrgespräch, der Wirtin gegenüber auf einer persönlichen Konfrontation mit Klamm besteht, die merkwürdige Äußerung tut, es könne bei einem solchen Zusammentreffen „manches zur Sprache kommen", zugleich aber erklärt, es sei „schwer zu sagen" (S 137), was er von Klamm, wenn er ihn denn treffe, wollen werde. Damit ist angedeutet, daß sich Erkenntnis sprachlich konstituiert. Die inspirierende Kraft des Mediums *und* seine Leistungsgrenze werden unausgesprochen thematisiert. Die Dialektik der Sprache (s.o.S. 10f.) bildet das Motiv der zahlreichen Diskurse. Im „Gespräch" mit Bürgel bahnt sich Erkenntnis bei gleichzeitiger Schwächung des sprachlichen Vermögens an, und dessen ungeachtet handelt es sich um eine Kommunikationssituation.

---

3. Bedeutungsfragen werden auch sonst gestellt. So fragt K., was ein „Dorfsekretär" sei (S 174). Immer müssen Worte *gedeutet* werden. Verstehen ist kein selbstverständlicher, spontan funktionierender Vorgang.
Das Motiv der „Bedeutung" wird auch im vierten Lehrgespräch relevant, wenn von der Herrenhofwirtin K.'s Verlangen nach eindeutiger Bedeutung abgelehnt, überhaupt die Möglichkeit von Bedeutung bestritten und an ihre Stelle die bloße Mutmaßung gesetzt wird. Der Wirtin Fragen an K. sind zugleich die Fragen an den, der K.'s Geschichte liest.

Nicht nur K.'s Deutungsmuster versagen. Weil die Dorfbewohner zugleich Schloßbewohner sind, können sie über das Schloß keine wahrheitswertigen Aussagen machen. Angewiesen bleiben sie auf Vermutungen. So kennt e.g. der Lehrer den Grafen nicht (S 20). Es sei „schwer zu sagen", weshalb die Beamten Scheu empfänden, sich zu zeigen, sagen die Wirtsleute des Herrenhofes (S 445). K. werde sich für seine Verfehlung (seinen Aufenthalt auf dem Gang, an dem die Beamten schlafen) „gewiß" (S 447) zu verantworten haben: Man weiß es also nicht genau. Daß sich die Rede vom Schloß in bloßen Mutmaßungen erschöpft, zeigt sich ferner im 4. Lehrgespräch, dem mit der Herrenhofwirtin (S 173), insbesondere aber in K.'s und Olgas Unterhaltung (S 270ff.), der die größte Bedeutung für die Klärung des Verhältnisses von Dorf und Schloß zukommt.

Die Äußerungen Olgas sind eine einzige Variation über die Agnosie der Dorfbewohner in Schloß-Dingen. Über des Barnabas zukünftige Uniform kann man nichts Genaues erfahren. In dem Zusammenhang fällt das Wort von den amtlichen Entscheidungen, die scheu wie junge Mädchen seien. Olgas Ausführungen über Kleidung und Aussehen von Schloß-Angehörigen erschöpfen sich in Mutmaßungen, Formulierungen des Nichtwissens, in Fragen, in Versuchen der Erklärung, die deshalb so schwierig geraten, weil die tradierten Bedeutungen („Diener", „Beamter") ihre Gültigkeit verloren haben. Wie häufig bei Kafka, signalisieren Fragen und Fragesequenzen tiefgreifende Verunsicherung. „Ist es überhaupt Schloßdienst, was Barnabas tut, fragen wir [...]; gewiß er geht in die Kanzleien, aber sind die Kanzleien das eigentliche Schloß? Und selbst wenn Kanzleien zum Schloß gehören, sind es die Kanzleien, welche Barnabas betreten darf" (S 275). Ob die Konturen der Begriffe, die Welt in Bewußtseinswirklichkeit umwandeln sollen, noch richtig nachzeichnen, erscheint zunehmend fraglich. Auch das Zeichen ‚Klamm' besitzt möglicherweise keine Identität, sondern bildet eine Formel für etwas anderes — für welches andere? Äußeres Zeichen und Sinn decken sich nicht. Von hierher gesehen, könnte die Aufforderung der Brückenhofwirtin an Interesse gewinnen, K. möge bitte Klamms Namen nicht verwenden. „Nennen Sie ihn ‚er' oder sonstwie, aber nicht beim Namen" (S 137). Olga belehrt K., daß nur Facetten von Klamms Aussehen zu erhalten sind: Die Erfahrung mit dem Schloß spiegelt sich in dem Versuch, seinen prominenten Diener zu begreifen.

Die Wahrheit könnte überhaupt nur als ganze erfahren werden; Benennungen aber verkürzen, vereinseitigen sie. Dem entspricht, daß Barnabas das Aussehen Klamms nicht kennt, obwohl man es doch von ihm noch am ehesten erwarten sollte; er kennt lediglich „Berichte" (!, S 279), die darüber im Umlauf sind. Überhaupt kann sich Barnabas nur vermutungsweise über Klamm äußern, zumal er ja auch die Briefe, die er zuzustellen hat, nicht unmittelbar von ihm erhält. Das Nichtwissen Olgas ist nahezu vollständig. „Was hat er denn erreicht? In eine Kanzlei darf er eintreten, aber es scheint nicht einmal eine Kanzlei, eher ein Vorzimmer der Kanzleien, vielleicht nicht einmal das, vielleicht ein Zimmer, wo alle zurückgehalten werden sollen, die nicht in die wirklichen Kanzleien dürfen. Mit Klamm spricht er, aber ist es Klamm?" (S 285f.). Das Benennungsproblem ist offenkundig: Man hat eine Kartierung, aber was ihr korreliert ist, steht dahin. K. bemüht sich um eine psychologische Erklärung für die angebliche Erfolglosigkeit des Barnabas und gibt, ohne es zu wissen, eine sprachliche. Es ist die aus dem „Prozeß" bekannte Ironie, daß K.'s (dem jungen Mann geltenden) Worte auf ihn selbst zutreffen. Er kritisiert, daß Hoffnungen und Enttäuschungen nur „auf seinen Worten, also fast gar nicht begründet" (S 288f.) seien. Ironie ist es, wenn K. an Barnabas, der den Hintergrundcharakter der Sprache nicht erkennt, sein eigenes Verhalten kritisiert — K., der nicht nur ständig Übersetzungen und Deutungen unternimmt, sondern sprachgesteuert apperzipiert und handelt.

Die Ironie wiederholt sich. K. rügt Olga und mit ihr die Barnabas-Familie, die die Exegese der „Briefgeschichte" (S 330) ständig neu betreibt. Fragwürdig ist ihm ein Verhalten, das allein auf Mutmaßungen beruht. „Was seid Ihr doch für Leute!" (S 327).

Die Reden der verschiedenen Gesprächspartner, die nie wahrheitsgetreu sein können, kreisen um die Wahrheit wie die Variationen des Prometheus-Mythos um dessen unerfindliche Wirklichkeit. Der Geschehenstext und die Bedeutungen, die man ihm unterstellt, klaffen auseinander. Das Hörensagen hat die Welt verschluckt: Hofmannsthals Wort trifft den Fall genau. Zuletzt bestätigen Pepis Darlegungen, daß nicht Tatsachen ausgesagt, sondern Versionen von Sachverhalten in Umlauf gesetzt werden. Verhaltensweisen geraten zu parasprachlichen Texten, zu denen der Decodierungsschlüssel fehlt und die deshalb nach Maßgabe tradierter Erfahrung „gelesen" werden. Den Pepischen „Leseversuch" kommentiert denn auch K., der wieder nicht merkt, daß er sich selbst kommentiert: „Was für eine wilde Phantasie Du hast" (S 479). Elemente aus dem Wortfeld der verba dicendi erscheinen auf den folgenden Seiten merkwürdig oft: (erzählen), ausdrücken, (schließen), erklären, verständigen, sagen, behaupten, hervorheben (S 480ff.): Die Welt des Schlosses ist besprochene Welt.

Die grundlegenden Tatsachen der sprachlich geprägten Weltansicht und des daraus resultierenden Handelns wurden beschrieben. Die Untersuchung kann damit nicht enden. Das Phänomen ist Symptom für anderes und muß auf seinen Stellenwert befragt werden. Das entspricht der früher getroffenen Feststellung, daß Sprache in der Regel nicht das definitive Thema Kafkascher Texte bildet, wohl aber eine nicht unerhebliche Rolle für deren Entwicklung spielt.

Innerhalb des Universums dieses „Gesprächsromanes" werden keine *positiven* Aussagen über das Schloß gemacht, aber der Leser, der außerhalb des geschlossenen Systems steht, sieht die zweifelsfrei erhebbare Objektität von Tatsachen, Eigenschaften und Vorgängen, die in ihrer Gesamtheit positive Daten zu einer deskriptiven Eingrenzung des „Schloß" genannten Gegenstandes liefern.

„Prozeß"- und „Schloß"-Roman weisen deutliche Übereinstimmungen auf. Peripheres trifft der Hinweis, daß die unanständigen Ausdrücke in Sortinis Schreiben an Amalia in den von pornographischen Zeichnungen durchsetzten Gerichtsakten ihr Pendant haben. — Augenblicke, in denen das Bewußtsein der Protagonisten eine Erweiterung erfährt, werden in beiden Fällen durch Weisen physischer Defizienz signalisiert. Die Szenen in den Schlafkammern Titorellis und Bürgels sind nur scheinbar verschieden. — Vergleichbarkeit besteht nicht nur unter den Romanen. Nicht unwichtig für eine Beurteilung der Schloß-Welt ist die nur auf den ersten Blick befremdliche Tatsache, daß manche Beamte in ihren Zimmern im Herrenhof nicht nur schlafen, Akten studieren und den Parteienverkehr erledigen (allein diese Verbindung gibt zu denken), sondern „Tischlerei, Feinmechanik u.dgl." (S 382) betreiben: Seine Laubsägearbeiten werden wieder aktuell, nachdem sich Gregor Samsa von seiner beruflichen Existenz gelöst hat und beginnt, den Menschen in sich zu restaurieren.

Zu fragen ist nach dem Grund für die gegenüber dem Schloß bestehende sprachliche Aporie. Die Hinweise auf den „Prozeß" legen für den hier behandelten Roman die Überlegung nahe, ob, wie seinerzeit das Gericht, das Schloß als Sageweise einer — noch zu bestimmenden — Ganzheit zu begreifen und der Roman als weiterer Beleg für die Kafkasche Thematik von Perspektivismus und Totalität anzusehen ist.

Wie das Gericht ist das Schloß in mehrfacher Hinsicht omnipräsent. Das Schloß ist zugleich das Dorf. K. kann bei den Dorfbewohnern ebensowenig bleiben wie im Bereich der Kanzleien. Ob eine von K. vernommene Glocke im Dorf oder Schloß ertönt, ist nicht zu entscheiden. Es verblüfft K., daß sich ausgerechnet sein (vermeintlicher) „Vorgesetzter" Klamm im Herrenhof aufhält. Nicht übersehen werden darf die bemerkenswerte Äußerung zur Kongruenz von Amt und Leben. „Nirgends noch hatte K. Amt und Leben so verflochten gesehen wie hier, so verflochten, daß es manchmal scheinen konnte, Amt und Leben hätten ihre Plätze gewechselt" (S 94). Des Momus Amtswirksamkeit ist nicht auf das Dorf beschränkt, wohl sein Amtssitz, doch ist das Dorf lediglich ein anderer Zustand des Schlosses. „Die Herren hier haben immerfort Mittag" (S 430). Im Beamtentrakt des Herrenhofes herrscht „niemals Ruhe — nicht bei Tag, nicht bei Nacht" (S 457): Die Daten bedeuten eine Entsprechung zur lokalen, temporalen und personalen Ubiquität des Gerichts. Die Vermutung einer Ganzheit gewinnt an Wahrscheinlichkeit.

Die Konfrontation mit dem Schloß ist zum Scheitern verurteilt, weil sie immer nur monoperspektivisch erfolgen kann und notwendig verkürzt und vereinseitigt. So wird Unwahrheit freigesetzt, denn Wahrheit läßt sich nicht perspektivieren. Für den erkenntnistheoretischen Sachverhalt sind die Worte exemplarisch, mit denen K. Pepi belehrt — erneut nicht bemerkend, daß er sich selbst charakterisiert: Sie sehe einen Schimmer von Wahrheit, sie mache aber den Fehler, von einer *Kleinigkeit* auf das *Ganze* schließen zu wollen (S 480). Der Text spricht seinen eigenen Kommentar.

Die Gegenprobe ist möglich. Wollte die Ganzheit zum Einzelnen gelangen, wollte Wahrheit sich mitteilen, müßte sie sich individuieren; sie müßte sich einer Perspektive unterwerfen und so entstellen lassen. Aus diesem Grunde und nicht, weil sich das redende Nichts vom schweigenden Sein überrumpelt und in Frage gestellt sieht, entsetzen sich Funktionsträger des Schlosses ob der brutalen Konfrontation mit K. oder Leuten aus dem Dorf.[4] Olga hat Recht zu bezweifeln, daß ein einzelner Beamter überhaupt verzeihen kann (S 339). Momus hat darüber kein Urteil, ob Klamm K.'s Angelegenheiten kümmern (176). Es sei gar nicht notwendig, daß Klamm Protokolle liest (S 182). Da sich das Ganze nicht individuieren kann, wenn es sich nicht negieren will, kann das Lesen einzelner Protokolle durch einzelne Beamte weder notwendig noch überhaupt wünschenswert sein.

Die bislang zusammengetragenen Daten sowie die daran geknüpften Erwägungen münden in die Frage nach der Bedeutung des „Schlosses". Explikation schlägt in Interpretation um; doch eingedenk dessen, daß man Kafka nicht richtig, sondern allenfalls stimmig deuten kann,[5] bekennen sich die nachfolgenden Bemerkungen zu ihrer Unvorgreiflichkeit.

Im Schloß und von den Schloßbeamten wird ständig protokolliert und registriert. (Von Momus gebeten, seine Akte durch einige Angaben ergänzen zu wollen, sagt K.: „Es wird hier viel geschrieben" (S 174). Der Antwort, ob dieses Registrieren ein bedeutungsloser Vorgang ist oder einen Sinn hat[6], führt eine Äußerung des Momus näher. K. wird nämlich von ihm belehrt, das geplante Protokoll führe *nicht* dazu, daß er in der Folge vor Klamm erscheinen dürfe. „Es handelt sich mir nur darum, für die Klammsche Dorfregistratur eine

---

4. Wolfgang Binder, a.a.O., passim.
5. Verf., Traktat über die Deutbarkeit von Kafkas Werken. In: Zu Franz Kafka, S. 5-15.
6. Man vgl. auch hierzu W. Binders Darlegungen.

genaue Beschreibung des heutigen Nachmittags zu erhalten. Die Beschreibung ist schon fertig, nur zwei drei Lücken sollen Sie noch ausfüllen, der Ordnung halber" (S 179f.).

Es ist noch Explikation, wenn im Anschluß an diese Äußerung gesagt wird, die Behörde registriere eine menschliche Existenz. Der Schluß vom Einzelfall auf die Funktion überhaupt bedeutet den Übergang zur Interpretation: Die Tätigkeit der Behörde, die permanent und omnipräsent protokolliert und registriert, ist eine Erkundung des Menschen, die seiner Natur nach asymptotisch bleiben muß. Die ständig und alles registrierende Behörde erinnert an den Gedanken vom gesamten Wissen der Hundeschaft in den „Forschungen eines Hundes" (E 334). Denn dort wird festgestellt, daß die Erkenntnis von Gesetz, Wesen, Wahrheit der Hundeschaft daran geknüpft ist, daß sich die *Gesamtheit* der Hunde fragend vereint. Allerdings erfolgt diese Aussage im Potentialis. Denn die Gesamtheit der Hundeschaft ist nicht statisch; sie ist allein prozeßhaft zu definieren: Sie ereignet sich in positiver Unendlichkeit; so auch ihre Wahrheit. Man versteht, daß sich K. fragt, ob denn der Weg zum Schloß „unendlich" (S 50) sei. (Unendlich sind bekanntlich auch die amtlichen Vorgänge.)

Im Schloß wird, nach der hier vorgeschlagenen Sehweise, die unendliche Summe gebildet, das Rätsel des menschlichen Gesetzes eingekreist. Von der „Arbeit wie in einem Bergwerk" (S 456) spricht Pepi im Blick auf den Gang der Sekretäre im Herrenhof, dieser Exklave des Schlosses. Auch das ist bekanntlich eine vergegenständlichte metaphorische Wendung: Die Sekretäre arbeiten wie im Bergwerk, sie schürfen vor Ort, sie treiben ständige Erörterung. Die sie treibende Dunkelheit partiellen Nichtwissens erscheint in die Dunkelheit der Romanwelt projiziert.

Nachbemerkung.

Mögliche Formkräfte von Kafkas Sprachdenken wurden erwogen. Dabei stieß die Nachforschung auf Anregungen, die, stofflich und zeitlich unterschieden, prinzipiell gleichartig sind. Das lag in der Konsequenz einer Untersuchung, der sich eine monokausale Darstellung verbieten mußte. Zum einen ist das Einfluß-Denken überhaupt problematisch: Künstlerische Erscheinungen sind im strengen Sinne nicht ableitbar. Zum anderen sollte der geistige *Raum* rekonstruiert werden, in dem der Autor tätig wurde und war. Insofern erzeugt der Aufweis von Formkräften grundsätzlich gleicher Art keinen Widerspruch innerhalb der Darstellung.

Kafkas Nachdenken über das Medium wurde, soweit es sich in den sogenannten werkbegleitenden Äußerungen theoretisch und praktisch manifestiert, erörtert. Besonderer Wert wurde dabei auf die Feststellung gelegt, daß die geläufige Vorstellung vom Sprachskeptiker und -kritiker der Ergänzung um die Einsicht bedarf, daß Kafka zugleich auch der Poet ist, der in begleitenden Äußerungen wie im dichterischen Werk selbst von den einbildenden Kräften der Sprache zeugt.

Ausgewählte Texte wurden daraufhin betrachtet, inwiefern sie Resultate von Sprachreflexion sind. Die dazu vorgetragenen Beobachtungen und Bewertungen sind exemplarisch gemeint: Prinzipien des gesamten Werkes kommen in den behandelten Texten zur Geltung. Deutlich bezeichnet werden sollte noch einmal der Stellenwert der Darlegungen zur Sprachreflexion als dichterischer Einbildungskraft: Eine Einengung der Kafkaschen Thematik auf Probleme der Sprache konnte und durfte nicht beabsichtigt sein. Erkenntnisleitend war allein ein produktionsästhetisches Interesse, das Prinzipien der Text-Entfaltung galt.

Siglen

B = Briefe 1902—1924. Frankfurt/M. 1958 (= Gesammelte Werke. Hrsg. von Max Brod)

BK = Beschreibung eines Kampfes. Frankfurt/M. 1954 (= Gesammelte Werke. Hrsg. von Max Brod)

D = Beschreibung eines Kampfes. Die zwei Fassungen. Parallelausgabe nach den Handschriften. Hrsg. und mit einem Nachwort versehen von Max Brod. Textedition von Ludwig Dietz. Frankfurt/M. 1969 (= Kafka Edition S. Fischer)

E = Sämtliche Erzählungen. Hrsg. von Paul Raabe. Frankfurt/M. 51.-80. Tsd. 1970 (= Fischer Taschenbücher. 1078)

F = Briefe an Felice und andere Korrespondenz aus der Verlobungszeit. Hrsg. von Erich Heller und Jürgen Born. Mit einer Einleitung von Erich Heller. Frankfurt/M. 1967 (= Gesammelte Werke. Hrsg. von Max Brod)

H = Hochzeitsvorbereitungen auf dem Lande und andere Prosa aus dem Nachlaß. Frankfurt/M. 1953 (= Gesammelte Werke. Hrsg. von Max Brod)

J¹ = Gustav Janouch, Gespräche mit Kafka. Erinnerungen und Aufzeichnungen. Frankfurt/M. 1951

J² = Gustav Janouch, Gespräche mit Kafka. Aufzeichnungen und Erinnerungen. Erweiterte Ausgabe. Frankfurt/M. 1968

M = Briefe an Milena. Hrsg. von Willy Haas. Frankfurt/M. 10.-14. Tsd. 1965 (= Gesammelte Werke. Hrsg. von Max Brod)

O = Briefe an Ottla und die Familie. Hrsg. von Hartmut Binder und Klaus Wagenbach. Frankfurt/M. 1974 (= Gesammelte Werke)

P = Der Prozeß. Roman. Frankfurt/M. 22.-26. Tsd. 1958 (Gesammelte Werke. Hrsg. von Max Brod)

S = Das Schloß. Roman in der Fassung der Handschrift. Hrsg. von Malcolm Pasley. Frankfurt/M. 1982

T = Tagebücher 1910—1923. Frankfurt/M. 11.-13. Tsd. o.J. (= Gesammelte Werke. Hrsg. von Max Brod)

Register

1. Verzeichnis der Namen

2. Verzeichnis der im Voranstehenden berührten Texte Kafkas

Die Anordnung der Titel folgt der Chronologie von Pasley und Wagenbach a. a. O.

Vom selben Autor sind erschienen:

Zu Franz Kafka

herausgegeben von Günter Heintz

Unterschiedliche Methoden der Wissenschaft, Kafkas Werk zu erfassen, werden dokumentiert: theologische, existentialistische, psychologische, biographische, phänomenologische, sprachphilosophische und sprachwissenschaftliche Untersuchungen.

LGW 42

Literaturwissenschaft — Gesellschaftswissenschaft

Klett-Cotta

Günter Heintz

Sprachliche Struktur und dichterische Einbildungskraft

Beiträge zur linguistischen Poetik

in: Lehrgebiet Sprache — Band 2

Hueber Verlag